À LA UNE 1

Au cœur du monde francophone

Auteures

Gwendoline Le Ray
Stéphanie Pace
Christelle Barbera

Cahier d'exercices + CD

www.emdl.fr/fle

Cet ouvrage est basé sur l'approche didactique et méthodologique mise en place par les auteurs de *Reporteros* : Sophie Rouet et Gwenaëlle Rousselet.

Auteures : Christelle Barbera, Gwendoline Le Ray et Stéphanie Pace (DELF)
Édition : Diakha Siby, Collectif Édition (Brigitte Brisse), Gema Ballesteros
Conception graphique : Pica Agency, Laurianne López (couverture)
Mise en page : HeLLo HeLLo, Cristina Muñoz Idoate
Illustrations : Alejandro Mila, Laurianne Lopez (p. 5, 13, 21, 29, 37, 45, 53, 61), Olga Carmona
Photographies des adolescents : García Ortega
Relecture et correction : Martine Chen et Sarah Billecocq

CRÉDITS

CRÉDITS PHOTOGRAPHIQUES

COUVERTURE : García Ortega

Unité 1 aterrom/Fotolia, Guadalupe Rodríguez/Fotolia, Patrissia/Fotolia, Gawrav/Getty, a-poselenov/iStock, Samuel B./Fotolia, Juanmonino/Getty, koti/Fotolia, carballo/Fotolia, Wavebreakmedia Ltd/Dreamstime **Unité 2** Inglebert Valery/Dreamstime, Grublee/Dreamstime, Susanne Neal/Dreamstime, Tracy Whiteside/Dreamstime, Alon Brik/Dreamstime, Rozenn Leard/Dreamstime, Darren Baker/Fotolia, curtoicurto/iStock, Rostichep/Fotolia, Photographee.eu/Fotolia, JenkoAtaman/Fotolia, Tydav Photos/Fotolia, Standret/ Dreamstime, Vera Kuttelvaserova/Fotolia, svetlanistaya/Fotolia, Erni/Fotolia, Ueli/Fotolia, hanohiki/Fotolia, Lunja/Fotolia, Douglas/Fotolia, Jolyon/Fotolia, gnagel/Fotolia, rene gamper/Fotolia, Nmint/Dreamstime, magdal3na/Fotolia, Misha Shiyanov/Dreamstime, Shsphotography/Dreamstime, magdal3na/Fotolia **Unité 3** Tomas1111/Dreamstime, Imaengine/Dreamstime, Beboy/Fotolia, ekaterina_belova/Fotolia, Chu-wen Lin/Dreamstime, pexels, Wikipedia, Mark Stay/Fotolia, www.rauschsinnig.de/Fotolia, fozz95/Fotolia, Maxim Pavlov/Fotolia, RVNW/Fotolia, Anna Velichkovsky/Fotolia, rost9/Fotolia, Elena/Fotolia, Ikostudio/Fotolia, cherryandbees/Fotolia, Mohamed Amed Soliman/Dreamstime, Wikipedia, Nadzeya Kolabava/Dreamstime, michaeljung/Istockphoto, Yobro10/Dreamstime, Darren Baker/Dreamstime, sianc/Fotolia, Gawrav/Getty, Diversity Studio/Fotolia, Damon Yancy/Dreamstime, YinYang/iStock, ArtBoyMB/iStock, vadymvdrobot/Fotolia, PeopleImages/iStock, Christopher Futcher/iStock, Blulz60/iStock **Unité 4** Marc Bruxelle/Dreamstime, Rpianoshow/Dreamstime, Flair Images/Dreamstime, Roberto Maggioni/Dreamstime, catenarymedia/iStock, LivingImages/iStock, Eduardo Luzzatti Buyé/iStock, Juliane/Fotolia, DSGpro/iStock, Nadzeya_Dzivakova/iStock, Rpianoshow/Dreamstime, Flair Images/Dreamstime, Roberto Maggioni/Dreamstime, Iofoto/Dreamstime, Flair Images/Dreamstime, Paul Simcock/Dreamstime, Iofoto/Dreamstime, Andrey Kiselev/Dreamstime, Corolanty/Dreamstime, Judith Dzierzawa/Dreamstime, Mediatoon **Unité 5** Infografick/iStock, Wikipedia, Difusión **Unité 6** Philip Bird/Dreamstime, Onzeg/iStock, Nicolas Kelen/Fotolia, bacalao/Fotolia, Irishka777/Dreamstime, Annworthy/Dreamstime, jcomp/Fotolia, Monkey Business/Fotolia, Mike Monahan/Dreamstime, Albachiaraa/Fotolia, Georgii Dolgykh/Dreamstime, Kara/Fotolia, Anastasia/Fotolia, minicel73/Fotolia, B.Bouvier/Fotolia, Sébastien Closs/Fotolia, didier salou/Fotolia, Paul Pellegrino/Dreamstime, Chris Van Lennep/ Dresmstime, Gherzak/Dreamstime, Yulia Belousova/Dreamstime, Gordon Bell/Dreamstime, Topdeq/Dreamstime ,Goodluz/Dreamstime **Unité 7** García Ortega ; SergiyN/Adobe Stock ; Meinzahn/Dreamstime.com ; Adeliepenguin/Dreamstime.com ; Julien Viry/Dreamstime.com ; MuchMania/Istockphoto.com ; piccerella/Istockphoto.com ; Ralers/Istockphoto.com ; Robert Daly/Istockphoto.com ; kevinjeon00/Istockphoto.com ; s-cphoto/Istockphoto.com ; rolleiflextlr/Istockphoto.com ; rolleiflextlr/Istockphoto.com ; anglll/Istockphoto.com ; domln_domln/Istockphoto.com ; deepblue4you/Istockphoto.com ; mawielobob/Istockphoto.com ; AlexLMX/Istockphoto.com ; Michael Burrell/Istockphoto.com ; mediaphotos/Istockphoto.com **Unité 8** García Ortega ; Phil_Good/Adobe Stock ; Gal_Istvan/Istockphoto.com ; [illegible] Marjan_Apostolovic/Istockphoto.com ; AzFree/Istockphoto.com ; artbesouro/Istockphoto.com ; omgimages/Istockphoto.com ; monkeybusinessimages/Istockphoto.com ; SeventyFour/Istockphoto.com; Peopleimages/Istockphoto.com; Ran Kyu Park/Istockphoto.com ; FatCamera/Istockphoto.com **Delf** Mike Monahan/Dreamstime.com, Albachiaraa/Fotolia, Georgii Dolgykh/Dreamstime, Kara/Fotolia, Anastasia/Fotolia, minicel73/Fotolia. B.Bouvier/Fotolia, Sébastien Closs/Fotoli, didier salou/Fotolia, Paul Pellegrino/Dreamstime, Chris Van Lennep/ Dresmstime, Gherzak/Dreamstime, Yulia Belousova/Dreamstime, Gordon Bell/Dreamstime, Topdeq/Dreamstime, Goodluz/Dreamstime

REMERCIEMENTS

Nous tenons à remercier tout ceux qui ont contribué à cette publication, notamment : Delphine Rouchy, Anna, Florentin, Coline, Hadrien, Alissya, Edgar, Juliette et Aloÿs. Merci enfin à nos « voix ».

ISBN : 978-84-17260-87-3
Réimpression : juillet 2019
Imprimé dans l'UE

www.emdl.fr/fle

SOMMAIRE

À LA UNE

LOUISE

Elle est française et elle vit à Paris, dans le 13e arrondissement. Elle fait du skate et elle aime beaucoup l'art, surtout les graffs !

MALO

Il est français et il vit à Nantes. Il aime bien faire des photos d'animaux, parce qu'il adore les animaux !

AGATHE

Elle est belge, mais elle vit en Suisse, dans la ville de Genève. Elle adore voyager et découvrir de nouveaux pays et elle aime bien apprendre des langues.

MAX

Il est canadien et il vit à Montréal. Il aime beaucoup les séries et il adore lire des BD.

MÉLISSA

Elle est française et elle vit à la Réunion. Elle adore aller à la plage et nager dans la mer. Elle fait du théâtre.

PAUL

Il est français et il vit à Bordeaux. Il aime beaucoup le sport et il fait du surf.

JADE

Elle est française, elle habite à Lyon et elle adore les musées et les parcs de sa ville. Elle fait beaucoup de sport et elle aime aussi faire du shopping avec ses amies.

NOÉ

Il est français et il habite à Toulouse. Il est très sportif et fait du rugby, un sport très populaire dans sa région. Mais il aime tous les sports et fait attention à sa santé !

UNITÉ 1
SALUT !

Esplanade du Trocadéro, Paris

Que sais-tu de Louise ?

Complète les informations sur Louise.

a. Dans quelle ville habite-t-elle? Louise habite à ~~Pa~~ Paris.

b. Quelle est sa nationalité ? elle et Française.

c. Quel âge a-t-elle ? Je ne sais pas.

d. Écris trois choses qu'elle aime ? elle aime faire du skate, l'art, les grosss

e. De quoi parle-t-elle sur son blog ? ....

1. COMMENT TU T'APPELLES ?

A **Écris quatre phrases avec ces pièces de puzzle.**

1. Il s'appelle steven il a quatorze ans.
2. Moi c'est Rémi elle quinze ans.
3. C'est une élève et elle s'appelle ~~Lil~~ ~~Lil~~ Lili.
4. ~~Il~~ Voici un ami de paris

B **Écoute le dialogue et écris la présentation des personnages.**

Piste 1

2. LES SALUTATIONS

A **Colorie le dessin en suivant les indications suivantes.**

1. en jaune les expressions pour saluer.
2. en **bleu** les expressions pour se présenter.
3. en **rose** les expressions pour dire au revoir.

B Écoute et entoure le verbe quand tu entends -el [əl].

Piste 2

Tu t'appelles

Il/Elle s'appelle

Nous nous appelons

Vous vous appelez

Ils/Elles s'appellent

3. LES CHIFFRES

A Lis et écris l'âge de ces adolescents.

Théo a l'âge de Sarah + 2 ans

Luc a l'âge de Sarah + 3 ans

Théo a .... ans.

Sarah a .... ans.

Luc a .... ans.

B Complète la grille de sudoku avec les chiffres en lettres.

		quatre	six	sept	neuf	huit		
deux	six				huit			
				cinq		quatre		
neuf	deux				cinq	un	huit	quatre
	quatre		deux		un		neuf	
un	huit	six	neuf				deux	cinq
		un		neuf				
			cinq				quatre	huit
		trois	sept	deux	quatre	six		

1. L'ALPHABET DU FRANÇAIS

A Écoute et entoure les mots que tu entends.

Piste 3

B Comme Laura, trouve des mots commençant par chaque lettre de ton prénom.

Lune

Amour

Un

Rire

Amis

ASTUCE

Tu peux utiliser un dictionnaire bilingue.

1

2. LES SONS DU FRANÇAIS

A Écoute et entoure en rouge les mots qui contiennent le son [y] comme dans le mot *super* et le son [u] en bleu comme dans le mot *bonjour*.

Piste 4

POUR

MUR

LUNE

VOITURE

ÉCOUTE

DOUZE

TOUR

B Écoute et classe les mots dans les colonnes.

Piste 5

comment bon beau France photo prénom

[ã] français	[o] restaurant	[õ] bonjour
....	....	....
....	....	....

3. MES MOTS

A Complète la grille de mots croisés avec les mots de la classe.

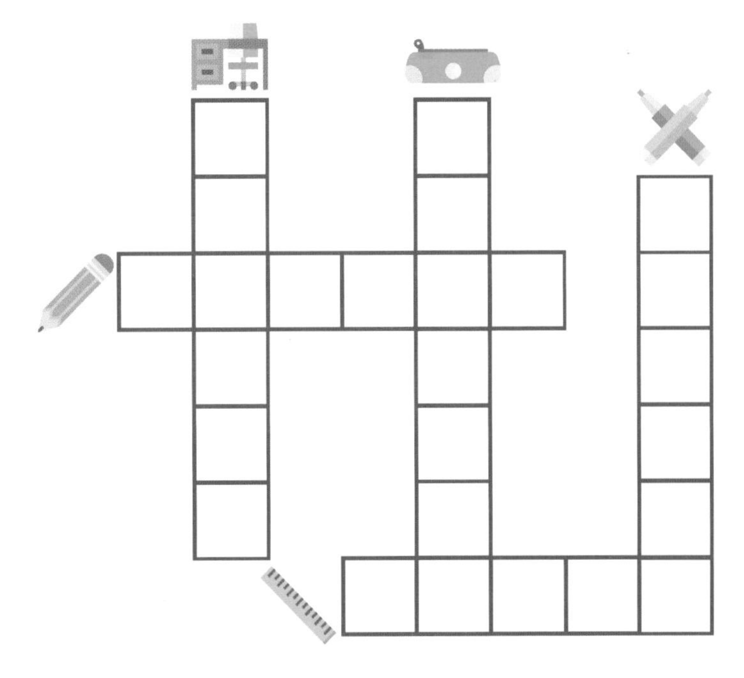

B Comment on dit ces mots dans ta langue ?

1. COMMUNIQUER EN CLASSE

A Classe ces mots et expressions dans le tableau.

Moi, c'est Pablo
12 ans
Le 12 mars
Suzie
Le 1er octobre
J'ai 15 ans

Comment tu t'appelles ?	Tu as quel âge ?	C'est quand ton anniversaire ?
....	....	....
....	....	....

B Complète la carte mentale avec tes données personnelles.

MON COLLÈGE
S'APPELLE
....

IDENTITÉ
PRÉNOM
....
NOM
....

MA PHOTO

MA VILLE
C'EST ....

MON ÂGE
J'AI .... ANS

Dessine tes bougies

C À partir de la carte que tu viens de compléter, présente-toi.

Moi, c'est ...
J'ai ... ans
Mon collège s'appelle ...
Ma ville c'est ...

....
....
....

2. LES CONSIGNES

A **Associe les images avec la consigne.**

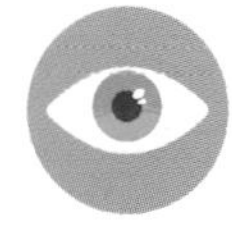

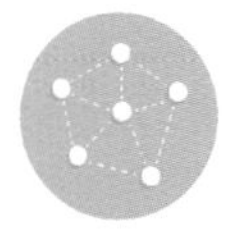

Répète Associe Écoute Regarde Écris

B **Observe et associe les phrases avec les images.**

Je ne comprends pas.

Comment ça s'écrit ?

Comment on dit en français ?

3. *TU* OU *VOUS* ?

A **Complète les dialogues avec le pronom qui convient.**

tu vous

Je sais poser des questions personnelles.

1. Complète les questions en fonction des réponses.

a. ● Comment tu t' .... ? ○ Adam.

b. ● Il .... quel .... ? ○ 14 ans.

c. ● Comment .... ? ○ Nous, c'est Anaïs et Léa, et vous ?

d. ● Tu .... quel .... ? ○ J'ai 13 ans.

Je sais présenter quelqu'un.

2. Écris des phrases pour parler de chaque personne.

MATHIS
14 ans

LOUISE
12 ans

LEÏLA
12 ans

....

....

Je sais me présenter et présenter un camarade.

3. Présente-toi, puis présente un camarade.

....

....

....

Je sais demander de l'aide en classe.

4. Pose une question pour chaque problème.

a. Je ne comprends pas. → .... ?

b. Je ne sais pas comment ça s'écrit. → .... ?

c. Je ne connais pas le mot en français. → .... ?

UNITÉ 2
J'ADORE !

Vue aérienne de Nantes

Que sais-tu de Malo ?

Complète les informations sur Malo.

a. Dans quelle ville habite-t-il ? ....

b. Quelle est sa nationalité ? ....

c. Quel âge a-t-il ? ....

d. Écris trois choses qu'il aime. ....

e. De quoi parle-t-il sur son blog ? ....

1. L'IDENTITÉ

A Colorie le dessin en suivant les indications ci-dessous.

- en JAUNE, les verbes à la 1re personne du singulier
- en BLEU, les verbes à la 2e personne du singulier
- en ROUGE, les verbes à la 1re personne du pluriel
- en MARRON les verbes à la 2e personne du pluriel
- en VERT, les verbes à la 3e personne du singulier
- en ROSE, les verbes à la 3e personne du pluriel

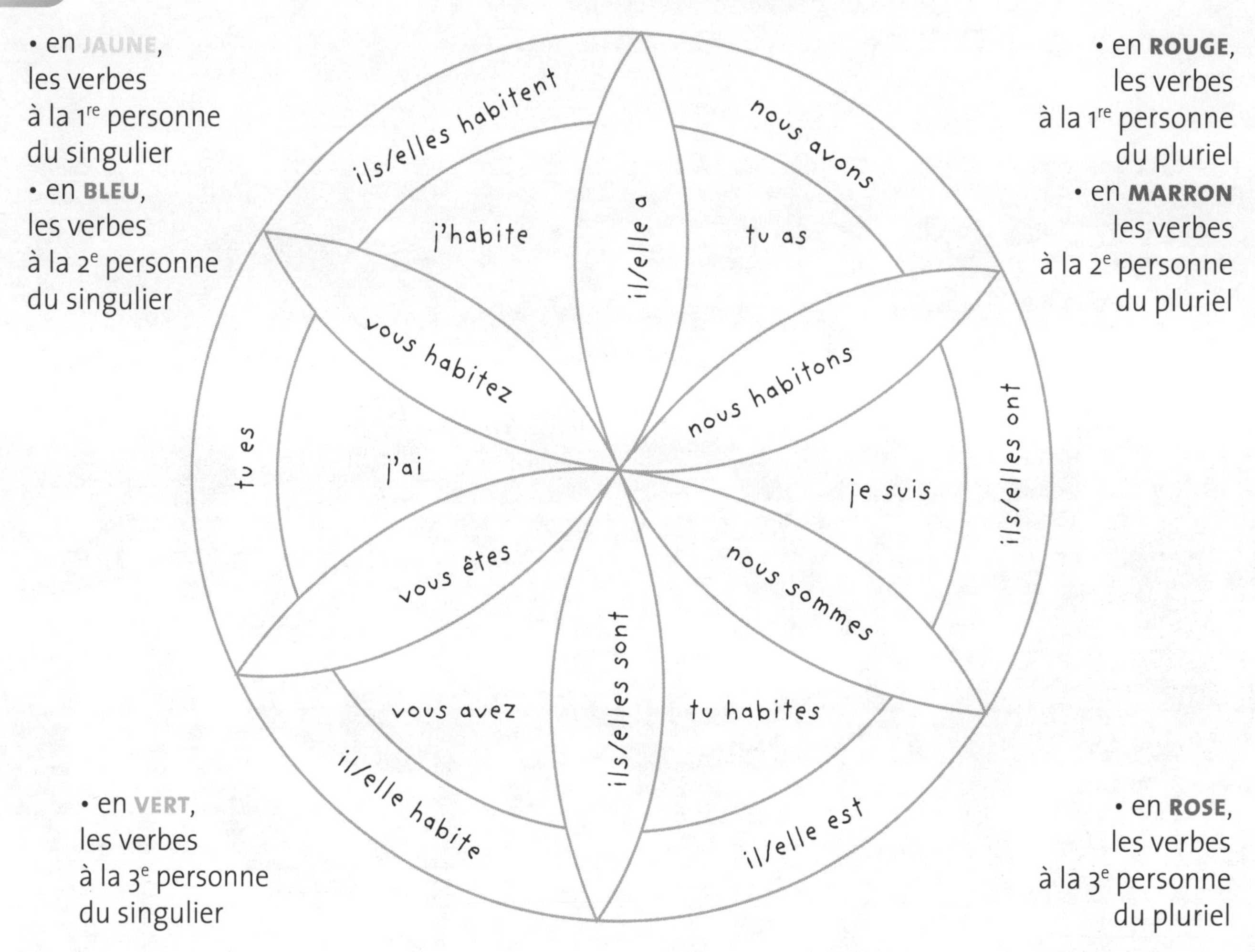

B Observe les cartes d'identité et écris des phrases pour présenter les personnes.

Elle s'appelle Caroline Rodriguez...

....

....

....

C Écoute les interviews et complète les phrases.

Piste 6

ELLE HABITE À ....

ELLE A .... ANS.

PROFESSION(S) QU'ELLE VEUT FAIRE ....

ILS HABITENT À ....

ILS ONT .... ANS.

PROFESSIONS QU'ILS VEULENT FAIRE ....

ELLE HABITE À ....

ELLE A .... ANS.

PROFESSION(S) QU'ELLE VEUT FAIRE ....

2. LES PROFESSIONS

A Associe chaque profession avec l'illustration correspondante.

tennisman médecin acteur photographe chanteur cuisinier

B Écris les phrases suivantes au féminin.

1. Ils sont acteurs. ....
2. C'est le chanteur de One Direction. ....
3. Il est footballeur. ....
4. Elle est photographe et moi je suis cuisinier. ....
5. Il est artiste. ....

1. LES NOMBRES ET LES NUMÉROS

A Complète les opérations avec les nombres manquants écrits en toutes lettres.

a treize + ... = vingt-sept

b CINQ x cinq = ...

c .... + six = trente

d vingt + SEPT = ...

e .... - dix-huit = douze

f quatre + ... = VINGT-TROIS

g .... – quatre = douze

h .... + dix = trente et un

B Écris en toutes lettres les numéros entre 1 et 31 qui correspondent aux caractéristiques suivantes.

avec un 3	avec un 4	avec un 5	avec un 8	avec un 1
le treize (13)	....	....	....	....
....	....	....	....	....
....	....	....	....	....
....	....	....	....	....
....	....	....	....	....
....	....	....	....	....
....	....	....	....	....

C Écoute et écris le nom de la personne correspondant à chaque numéro. Attention, il y a un numéro en trop !

Piste 7

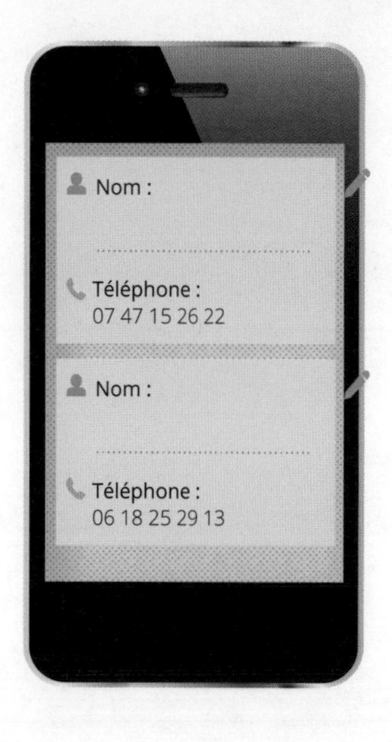

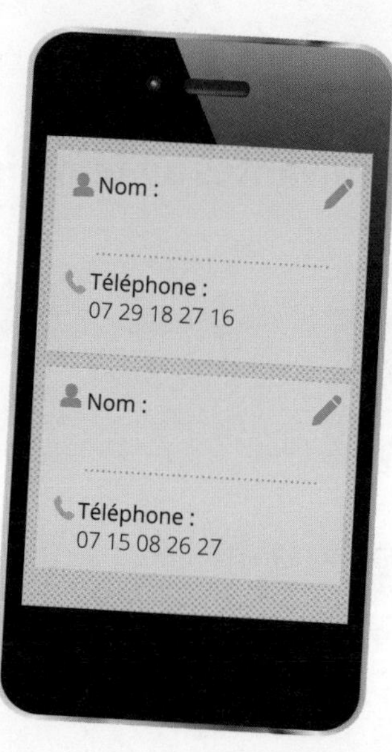

2. LES DATES

A **Écris la date de chaque événement sous chaque image.**

C'est le Premier janvier ....

3. LES MOIS

A **Complète les séries avec les mois manquants.**

mars - avril - .... - juin

octobre - .... - décembre

.... - août - septembre

décembre - janvier - ....

B **Entoure les dates que tu préfères dans l'année et indique l'événement par une flèche dans une phrase.**

JANVIER						
						1
2	3	4	5	6	7	8
9	10	11	12	13	14	15
16	17	18	19	20	21	22
23	24	25	26	27	28	29
30	31					

FÉVRIER						
		1	2	3	4	5
6	7	8	9	10	11	12
13	14	15	16	17	18	19
20	21	22	23	24	25	26
27	28					

MARS						
		1	2	3	4	5
6	7	8	9	10	11	12
13	14	15	16	17	18	19
20	21	22	23	24	25	26
27	28	29	30	31		

AVRIL						
					1	2
3	4	5	6	7	8	9
10	11	12	13	14	15	16
17	18	19	20	21	22	23
24	25	26	27	28	29	30

MAI						
1	2	3	4	5	6	7
8	9	10	11	12	13	14
15	16	17	18	19	20	21
22	23	24	25	26	27	28
29	30	31				

JUIN						
			1	2	3	4
5	6	7	8	9	10	11
12	13	14	15	16	17	18
19	20	21	22	23	24	25
26	27	28	29	30		

JUILLET						
					1	2
3	4	5	6	7	8	9
10	11	12	13	14	15	16
17	18	19	20	21	22	23
24	25	26	27	28	29	30
31						

AOÛT						
	1	2	3	4	5	6
7	8	9	10	11	12	13
14	15	16	17	18	19	20
21	22	23	24	25	26	27
28	29	30	31			

SEPTEMBRE						
				1	2	3
4	5	6	7	8	9	10
11	12	13	14	15	16	17
18	19	20	21	22	23	24
25	26	27	28	29	30	

OCTOBRE						
						1
2	3	4	5	6	7	8
9	10	11	12	13	14	15
16	17	18	19	20	21	22
23	24	25	26	27	28	29
30	31					

NOVEMBRE						
		1	2	3	4	5
6	7	8	9	10	11	12
13	14	15	16	17	18	19
20	21	22	23	24	25	26
27	28	29	30			

DÉCEMBRE						
				1	2	3
4	5	6	7	8	9	10
11	12	13	14	15	16	17
18	19	20	21	22	23	24
25	26	27	28	29	30	31

Le 25 décembre, c'est Noël !

....

....

....

1. LES ANIMAUX

A **Retrouve et entoure les dix animaux dans la grille.**

A	E	Z	O	U	R	S	T	Y
Q	O	S	D	M	L	I	O	J
F	I	G	I	R	A	F	E	C
G	S	H	U	N	E	I	A	H
C	E	H	W	C	V	O	B	A
H	A	A	U	Y	B	P	M	T
E	U	M	C	H	I	E	N	T
V	R	S	Z	K	A	P	D	C
A	H	T	J	L	T	O	A	B
L	M	E	K	E	O	A	U	I
E	G	R	H	U	R	V	P	L
Q	E	G	C	A	T	N	H	M
D	F	H	O	C	U	V	I	O
I	G	U	A	N	E	C	N	A

B **Maintenant, écris les noms des animaux au pluriel.**

2. LES ARTICLES DÉFINIS

A **Complète avec *le*, *la*, *les*, *l'*.**

.... OURS .... GIRAFE .... OISEAUX .... IGUANE

.... CHATS .... ÉLÉPHANT .... DAUPHIN .... VACHE

B **Classe les mots dans le tableau.**

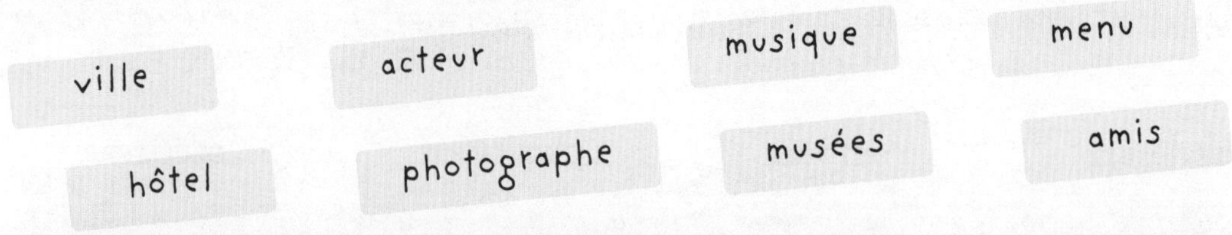

le	*la*	*l'*	*les*

3. LES GOÛTS

A Écris quatre phrases en associant des mots de chaque colonne.

Le/La prof	aime	les chats
Je/J'	adore	les serpents
Mon-Ma meilleur/e ami/e	détestes	les chiens
Tu	aime bien	les tortues

1. ....
2. ....
3. ....
4. ....

B Observe et écris des phrases pour dire ce que les reporters aiment ou n'aiment pas.

C Écris un texte pour parler de tes goûts sur le blog de la classe.

Je sais poser des questions personnelles.

1. Complète les questions en fonction des réponses.

a. ● Tu ....les animaux ? ○ J'adore les animaux.

b. ● Il .... quel âge ? ○ Il a 13 ans.

c. ● Vous .... dans quelle .... ? ○ À Paris.

d. ● Comment ....-ils ? ○ Paul et Agathe.

Je sais conjuguer des verbes au présent.

2. Complète les présentations avec les verbes : *avoir – être – habiter*, conjugués au présent.

a. Gaspard .... 17 ans, il .... à Paris et il .... suisse.

b. Je .... française, j'......................à Nantes et j'...................... 14 ans.

c. Nous .... à Rennes et nous .... 15 et 17 ans.

d. Tu .... à Marseille et tu .... français.

Je sais indiquer la date d'un anniversaire ou d'un événement.

3. Écris des phrases pour expliquer à quel événement correspond chaque date. Écris les chiffres en toutes lettres.

28 février / anniversaire de Manon : ....

14 juillet / Fête nationale française : ....

16 mars / anniversaire de Jules : ....

21 juin / Fête de la musique : ....

Je peux parler de mes goûts et de ceux des personnes que je connais.

4. Écris cinq phrases sur tes goûts et ceux des gens que tu connais. Utilise les verbes : *aimer – ne pas aimer – adorer – détester*.

a. Les chats : ....

b. Le football : ....

c. Noël : ....

d. Les araignées : ....

e. Les dauphins : ....

UNITÉ 3
J'HABITE EN SUISSE

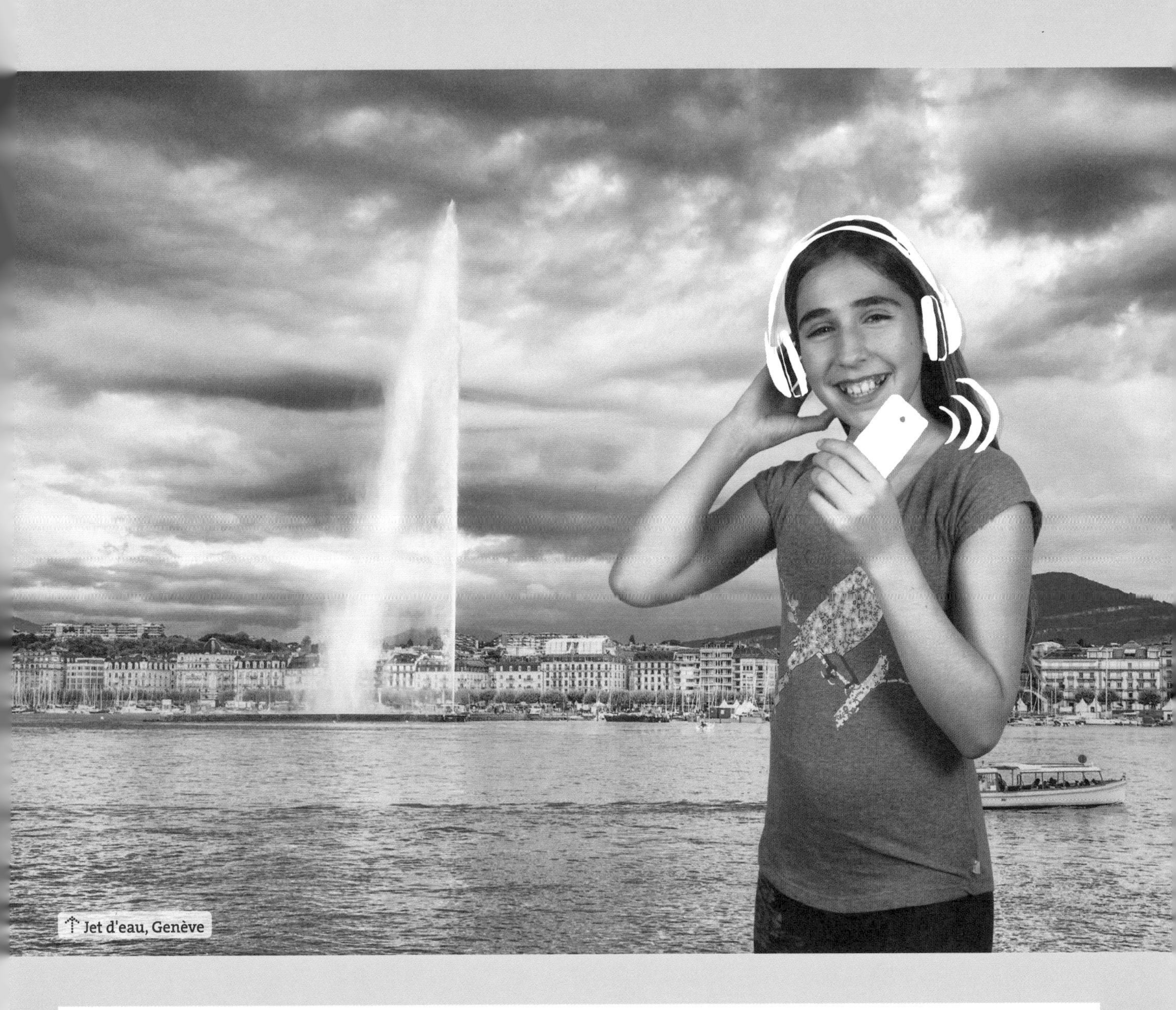

Jet d'eau, Genève

Que sais-tu de Agathe ?

Complète les informations sur Agathe.

a. Dans quelle ville habite-t-elle ? ....

b. Quelle est sa nationalité ? ....

c. Quel âge a-t-elle ? ....

d. Écris trois choses qu'elle aime. ....

e. De quoi parle-t-elle sur son blog ? ....

1. LES PAYS DU MONDE

A **Écris devant chaque pays l'article défini qui convient puis barre l'intrus.**

1. l'allemagne / la Belgique / les ~~États-Unis~~ / la Suisse
2. .... chine / .... Japon / .... France / .... Inde
3. .... Brésil / .... Équateur / .... Venezuela / .... Italie
4. .... Algérie / .... Tunisie / .... États-Unis / .... Sénégal
5. .... Pays-Bas / .... Irlande / .... Pologne / .... Canada

B **1. Classe ces pays dans les colonnes. Puis retrouve-les sur la carte.**

La Grèce | La Russie | La Colombie | Les États-Unis | L'Italie | Le Chili
Le Cameroun | Le Mexique | Le Canada | L'Inde | La Chine | L'Espagne

au	en	aux
....	....	....
....	....	....
....	....	....
....	....	....

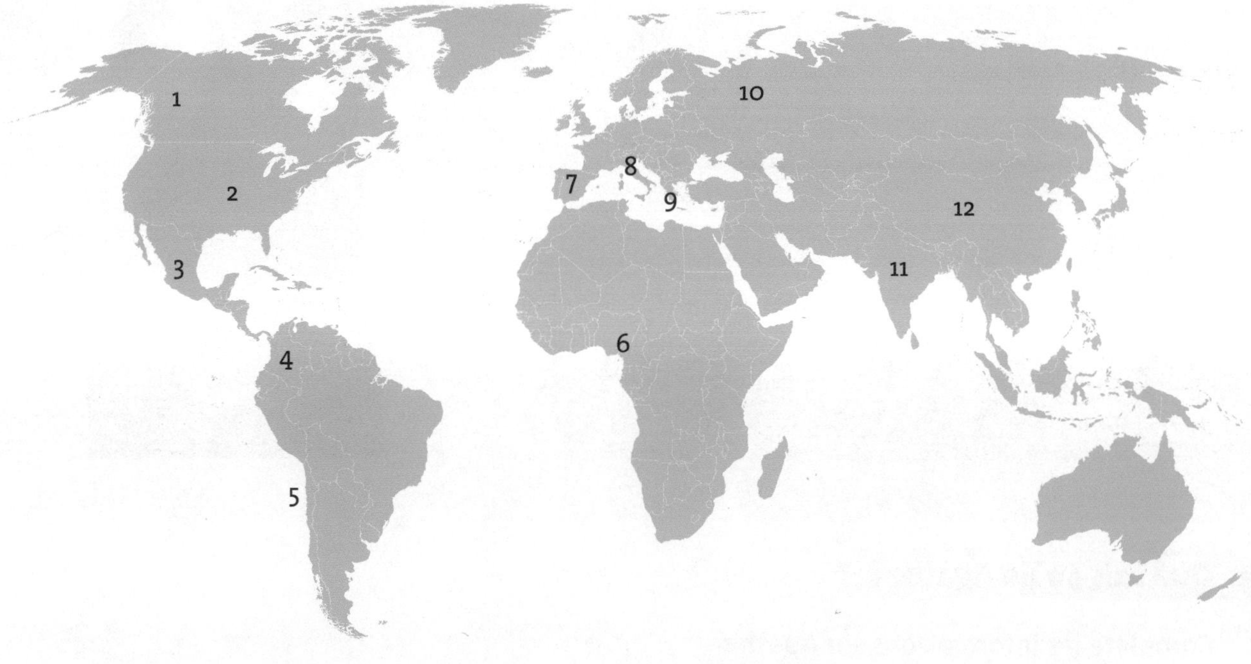

2. Est-ce que tu connais des personnalités qui sont originaires de ces pays ? Des lieux qui se trouvent dans ces pays ? Fais des phrases.

Marion Cotillard est née en France. L'Acropole est en Grèce.

....

....

....

....

2. SITUER DES LIEUX

A **Associe les photos avec les villes et les pays. Puis, écris des phrases.**

1. 2. 3. 4. 5.

ESPAGNE STATUE DE LA LIBERTÉ BRÉSIL AUSTRALIE
LA TOUR EIFFEL BARCELONE ÉTATS-UNIS
PARIS SYDNEY STADE DE CAMP NOU RIO DE JANEIRO
OPÉRA NEW YORK FRANCE COPACABANA

1. *La statue de la Liberté est à New York, aux États-Unis.*
2. ....
3. ....
4. ....
5. ....

B **Écris des devinettes en utilisant les étiquettes.**

Où est | Où est né | Quelle est la capitale du / de la | Où habite | Où habitent

Quelle est la capitale de la France ? Où est le Mont Saint-Michel ?

....
....
....

C **1. Complète avec les bonnes terminaisons.**

J'habit......... Tu habit......... Il/Elle habit.........
Nous habit......... Vous habit......... Ils/Elles habit.........

2. Quels autres verbes se conjuguent de la même manière ?

....
....
....

1. DES ORIGINES DIFFÉRENTES

A **Lis la discussion entre Agathe et son amie. Classe les adjectifs de nationalité qui apparaissent, puis note toutes leurs formes possibles.**

	Australie	Chine	Canada	Russie	Italie	Belgique
masculin singulier						
féminin singulier						
masculin pluriel						
féminin pluriel						

B **Complète les phrases avec la nationalité qui convient. Fais attention aux accords !**

1. Sandra et Max habitent en Suisse. Ils sont ....
2. Lidia est née en Colombie. Elle est ....
3. Yuki et Saori habitent à Tokyo. Elles sont ....
4. Nous venons d'Angleterre. Nous sommes ....
5. Pablo et Marta habitent à Madrid. Ils sont ....
6. Diego est né au Mexique. Il est ....
7. Bao vient de Chine. Elle est ....

C **Écoute et coche si tu entends le masculin ou le féminin.**

Piste 8

1. ❒ français ❒ française
2. ❒ chinois ❒ chinoise
3. ❒ péruvien ❒ péruvienne
4. ❒ américain ❒ américaine
5. ❒ italien ❒ italienne
6. ❒ anglais ❒ anglaise
7. ❒ japonais ❒ japonaise
8. ❒ marocain ❒ marocaine
9. ❒ allemand ❒ allemande

D **Complète les phrases suivantes en conjuguant le verbe.**

1. J'**(habiter)** .... à Haïti. Les gens **(parler)** .... français, créole et un peu espagnol parce que nous **(habiter)** .... à côté de la République dominicaine.
2. Sophie et moi, nous **(être)** .... belges.
3. Pierre et Anaïs **(être)** .... bilingues, ils **(parler)** .... très bien le français et l'anglais.
4. Dans le pays où tu **(habiter)** .... on **(parler)** .... français et néerlandais.

2. C'EST / IL EST

A **Classe les étiquettes dans le tableau.**

Paul mon amie un élève un nouvel élève Léa

de Nantes français australien sympa

C'est (pour présenter, introduire)	*Il / Elle est* (pour caractériser)

B **Complète les phrases avec *c'est* ou *il / elle est*.**

1. Salut, moi .... Johan !
2. .... irlandaise et .... dans ma classe !
3. .... un ami et .... très sympa !
4. .... ton frère ?
5. .... un nouvel élève ?
6. Mon jour préféré, ... le 14 juillet parce que c'est un jour férié !

3. LES ARTICLES INDÉFINIS

A **Complète les descriptions avec *un / une* ou *des*.**

BIGFLO ET OLI

Ce sont .... rappeurs de Toulouse.
Ils ont .... père d'origine argentine et .... mère d'origine algérienne. Ils ont gagné .... prix pour le meilleur duo.

MÉLANIE LAURENT

C'est .... actrice, ... réalisatrice et .... chanteuse née à Paris. Elle joue dans .... films américains et belges.

B **Choisis une personne célèbre et rédige un petit texte.**

1. MES ACTIVITÉS

A **Entoure l'intrus dans chaque dessin.**

B **Retrouve et entoure les huit activités dans la grille.**

X	K	D	G	U	I	T	A	R	E
B	A	E	I	T	R	S	R	V	O
U	R	S	U	R	F	G	U	C	N
D	A	N	S	E	J	K	G	U	T
H	T	J	E	S	I	N	B	I	H
K	E	U	O	C	L	V	Y	S	E
A	M	D	S	T	U	O	B	I	A
F	O	O	T	B	A	L	L	N	T
L	I	R	E	G	S	E	T	E	R
S	K	A	B	H	J	Y	V	O	E
N	W	Z	A	D	E	S	S	I	N

C **Complète la carte mentale avec les activités de l'exercice B.**

ACTIVITÉS

SPORTIVES
....
....
....
....

ARTISTIQUES
....
....
....
....

PRATIQUES
....
....

2. MOI, TOI...

A **Entoure le pronom correct.**

1. Je parle anglais et **TU / TOI** ?
2. **JE / MOI**, c'est Chris.
3. Sacha est russe et **IL / LUI** ?
4. **TU / TOI** habites à Rome ?
5. Nous sommes belges, et **ILS / EUX** ?
6. **IL / LUI** est né au Mexique.

B **Complète les dialogues avec le pronom tonique qui convient.**

1. • J'aime les BD, et ....?
   ◦ Oui, j'adore mais j'aime aussi les romans de science fiction.
2. • ...., elle est canadienne ?
   ◦ Oui, et elle habite Montréal.
3. • Salut, vous habitez à Genève ?
   ◦ Oui, et .... ?
   • À Paris, mais nous sommes nés en Suisse.
4. • ...., ils sont allemands. Et ...., il est de quelle nationalité ?
   ◦ Il est chinois.

3. J'AIME, JE N'AIME PAS

A **Observe les goûts d'Agathe. Écris des phrases et compare avec tes goûts.**

♥ Faire du skate — 👎 Parler au téléphone — ♥ Le Paris Saint-Germain — 👎 Écouter Maître Gims

1. *Agathe aime faire du skate. Moi, je déteste !*
2. ....
3. ....
4. ....

B **Écoute ces personnes parler de leurs goûts et complète les profils.**

Piste 9

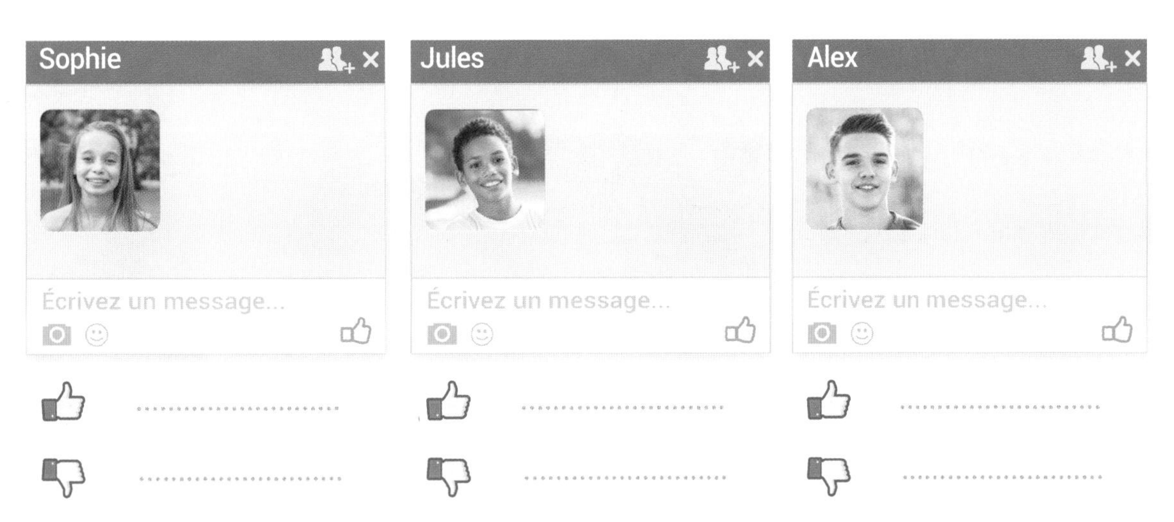

Je sais parler de mes goûts.

1. Utilise les images et les étiquettes pour parler de tes goûts.

J'aime | J'adore | Je déteste | Je n'aime pas

....

....

....

Je peux présenter une personne et dire quelle langue elle parle.

2. Observe et présente les personnages comme dans l'exemple.

PRÉNOMS : Elena et Hugo
PAYS : France
VILLE : Toulouse
LANGUES PARLÉES :

Ils s'appellent Elena et Hugo.
Ils sont ....
Ils habitent en France à ....
Ils parlent ....

PRÉNOM : Yuki
PAYS : Japon
VILLE : Nara
LANGUE PARLÉE :

....
....
....
....

PRÉNOMS : Anthony et Nans
PAYS : Canada
VILLE : Montréal
LANGUES PARLÉES :

....
....
....
....

Je sais parler des loisirs.

3. Écris dans chaque bulle la lettre de la phrase qui lui correspond.

a. Aurélie peint.

b. Louis fait de la batterie.

c. Lili fait de la natation.

d. Enzo fait du skate.

e. Gabi, Yun et Lucie font de la danse.

1 

2 

3 

4 

5 

UNITÉ 4
MA FAMILLE

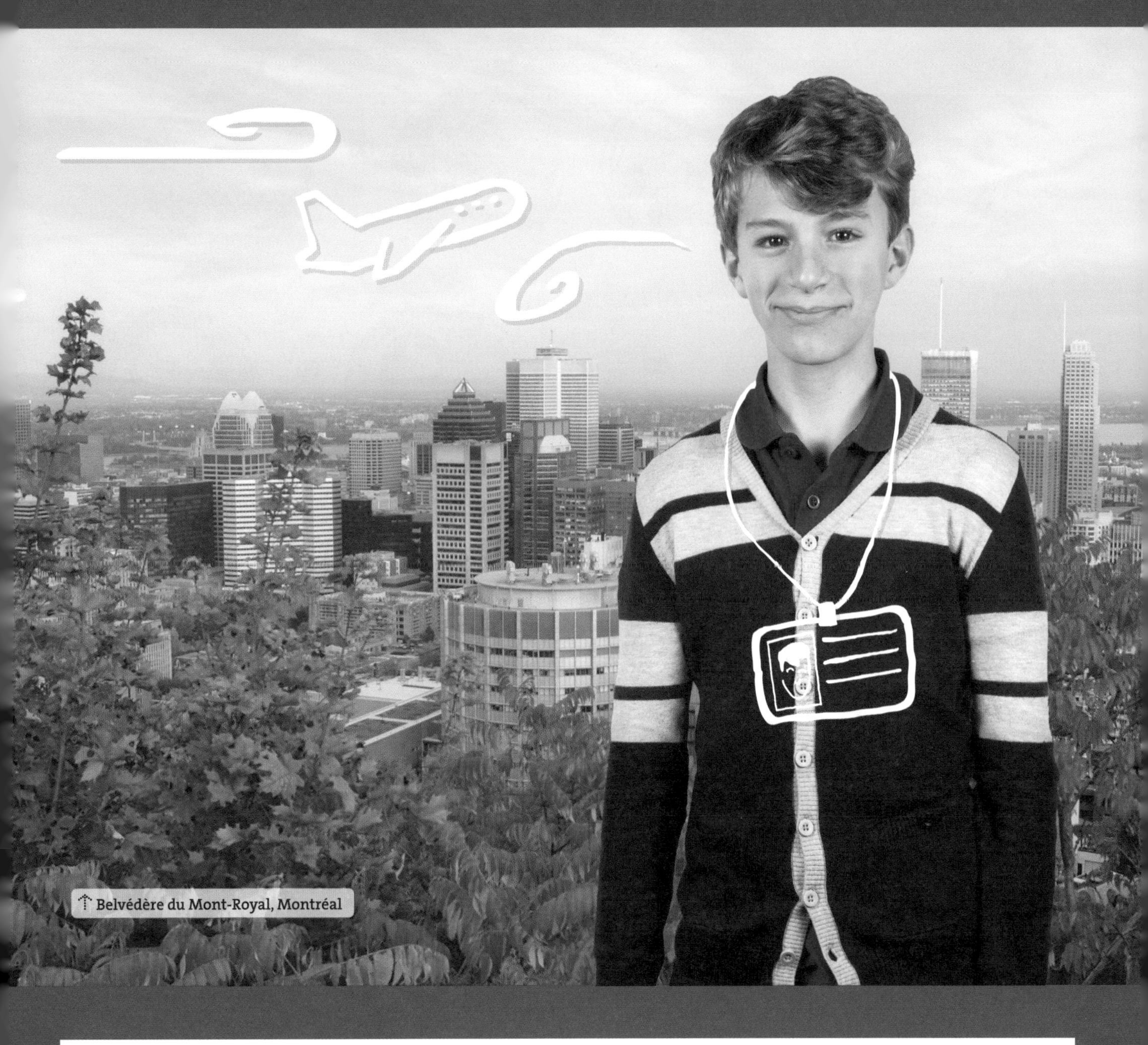

Belvédère du Mont-Royal, Montréal

Que sais-tu de Max ?

Complète les informations sur Max.

a. Dans quelle ville habite-t-il ? ....

b. Quelle est sa nationalité ? ....

c. Quel âge a-t-il ? ....

d. Écris trois choses qu'il aime. ....

e. De quoi parle-t-il sur son blog ? ....

1. LES LIENS DE PARENTÉ

A **Complète la description de la famille de Max avec le possessif qui convient. Attention : il y a une étiquette de trop !**

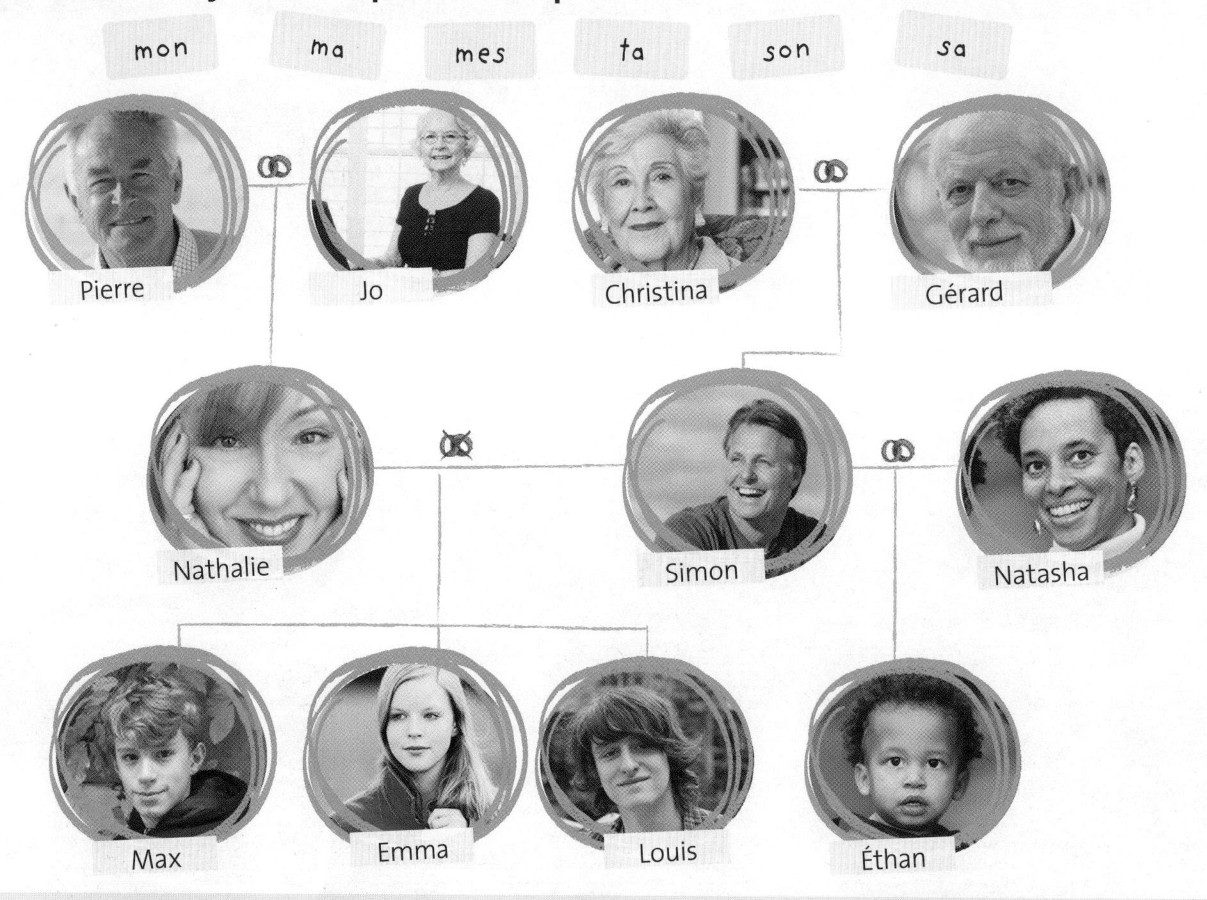

.... famille est grande. Il y a .... frère, Louis, ... sœur, Emma et Ethan, ... demi-frère. Ethan est le fils de .... père, Simon, et de .... deuxième femme Natasha. .... mère s'appelle Nathalie. .... grands-parents, Pierre et Jo habitent à Montréal, je ne les vois pas souvent. .... grand-mère Christina est née à Séville. J'aime bien parler espagnol avec elle. Et toi, comment est .... famille ?

B **Lis les devinettes et écris la bonne réponse.**

1. Le père de mon père c'est mon ....
2. La sœur de mon père c'est ma ....
3. La femme de mon père est ma ....
4. Je suis le/la .... de ma grand-mère.
5. C'est le fils de ma tante, c'est mon ....
6. C'est le frère de ma mère, c'est mon ....

C **Et toi ? Dessine ton arbre généalogique jusqu'à tes grands-parents dans ton cahier puis écris sous chaque prénom ton lien de parenté avec cette personne.**

2. LA DESCRIPTION DES PERSONNES

A Associe chaque mot à la partie du corps qui convient.

B Observe les personnes et décris-les en utilisant les étiquettes.

brun

cheveux frisés

mince

blonde

grand

cheveux courts

cheveux lisses

porte des lunettes

Piste 10

C Écoute cette description, puis dessine le portrait-robot du suspect.

D Et toi ? Écris ta description physique.

....

....

....

....

1. S'HABILLER

A Complète le nom de vêtements.

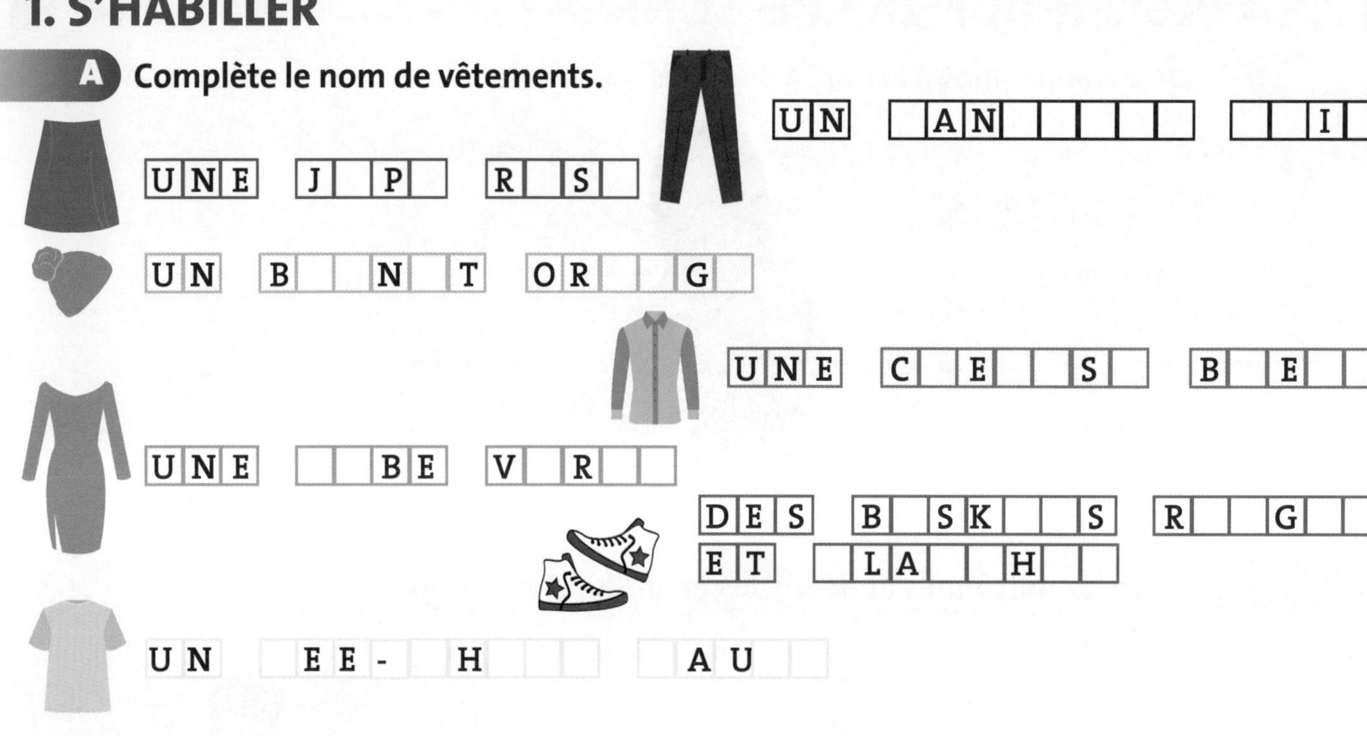

B Les amis de Sonia ne savent pas comment s'habiller. Conjugue les verbes *porter* et *mettre* dans leurs messages.

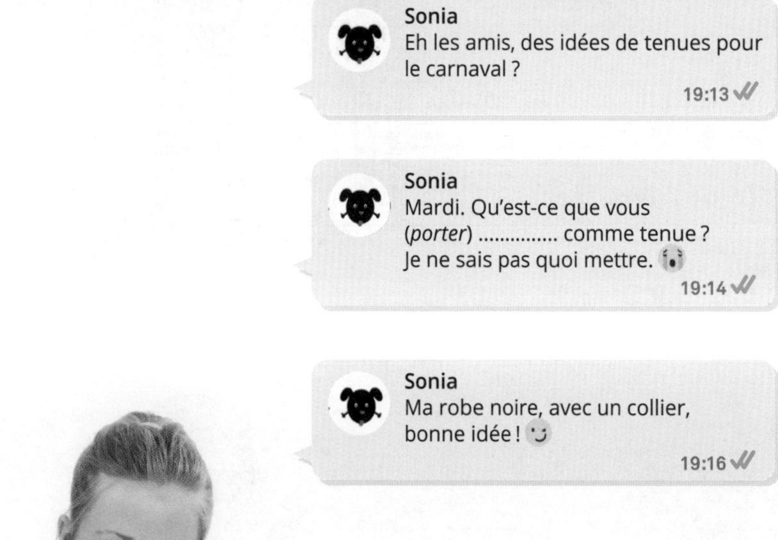

Sonia
Eh les amis, des idées de tenues pour le carnaval ?
19:13

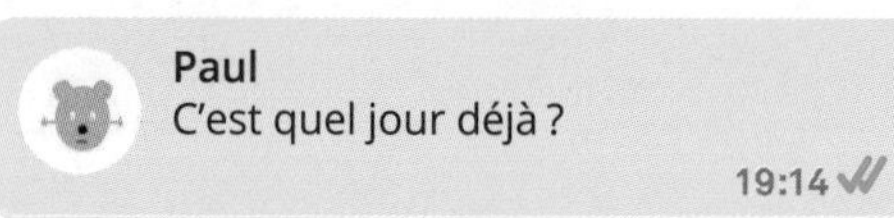

Paul
C'est quel jour déjà ?
19:14

Sonia
Mardi. Qu'est-ce que vous (*porter*) .... comme tenue ? Je ne sais pas quoi mettre.
19:14

Sarah
Pourquoi tu ne (*porter*) .... pas ta tenue vampire ? Moi je (*mettre*) .... un jean et un débardeur jaune, comme les minions !
19:15

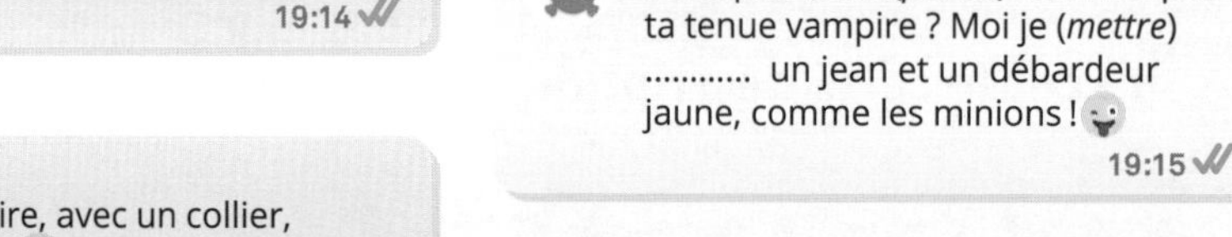

Sonia
Ma robe noire, avec un collier, bonne idée !
19:16

Max
Moi je (*mettre*) .... un jean, une chemise et un chapeau de cow-boy.
19:18

Paul
Moi aussi je pense porter une tenue de cow-boy.
19:21

Sarah
C'est super si vous (*mettre*) .... la même tenue !
19:22

Sonia
Et les autres vous savez ce qu'ils (*porter*) .... pour la fête ?
19:27

C Complète le tableau avec les adjectifs de la couleur correspondante.

	●	●	○	●
DES CHAUSSURES	rouges			
UNE ROBE				
UN PULL				
DES BONNETS				
UNE VESTE				

2. LES CATÉGORIES DE VÊTEMENTS

A Observe les personnages et corrige les erreurs dans la description.

Léa porte un pull vert, une jupe bleue et des bottes marron. Elle a un sac noir.

Emma porte une jupe noire et blanche. Elle a une veste bleue et des bottes rouges.

Gabriel porte un jean noir avec une chemise bleue et blanche et des baskets roses. Il a des lunettes.

B Entoure l'intrus dans la liste sous chaque dessin.

CHEMISE
DÉBARDEUR
SHORT
PULL
TEE-SHIRT

SAC
COLLIER
CASQUETTE
ROBE
LUNETTES

BONNET
BASKETS
CHAUSSURES
CHAUSSETTES
BOTTES

1. LES QUESTIONS PERSONNELLES

A **Max fait une interview à sa sœur sur son blog de mode. Retrouve les questions qu'il lui pose.**

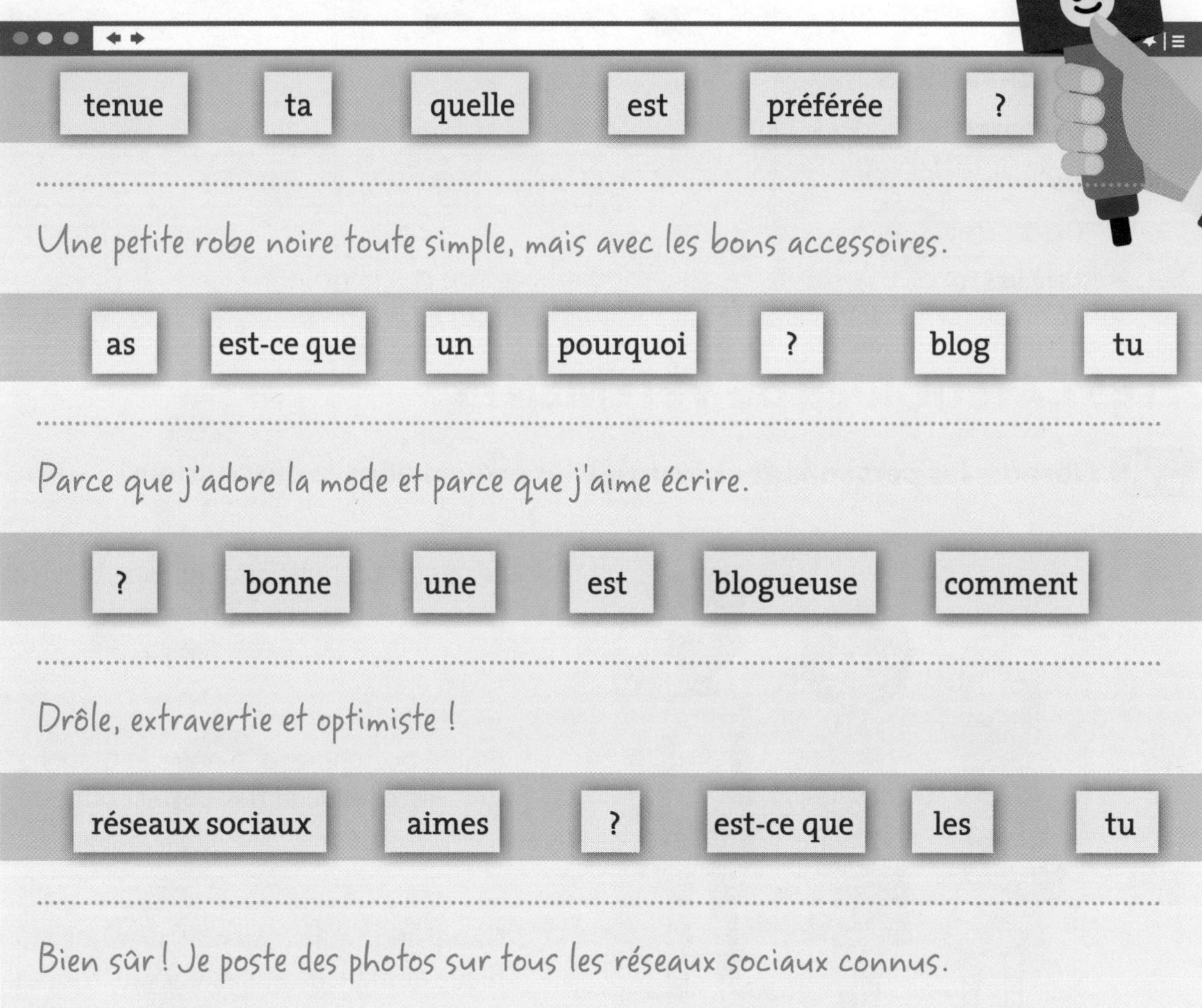

B **Utilise une étiquette de chaque colonne et fais des phrases.**

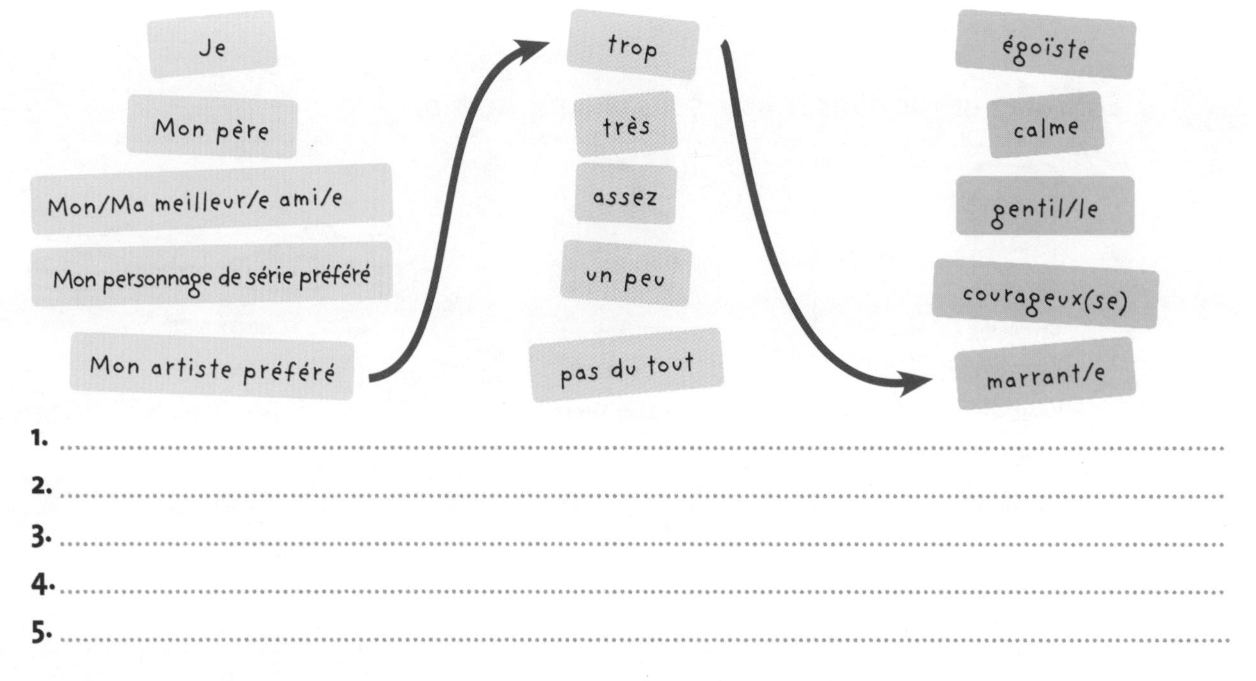

1. ....
2. ....
3. ....
4. ....
5. ....

2. LES QUALITÉS ET LES DÉFAUTS

A **Lis les descriptions et retrouve la qualité ou le défaut qui correspond.**

1. Il parle beaucoup et tout le temps. **B**..............................
2. Il n'est pas gentil et aime faire mal aux autres. **M**..............................
3. Elle est drôle et aime les blagues. **M**..............................
4. Elle offre des cadeaux à ses amis. **G**..............................

B **Écris les adjectifs qui manquent pour chaque personnage.**

IL EST

....

content

drôle

....

sérieux

méchant

....

ELLE EST

gentille

....

....

intelligente

....

....

timide

C **Décris la personnalité de tes amis.**

....

....

....

....

....

....

....

Je peux indiquer les liens de parenté.

1. Complète les phrases avec les adjectifs possessifs qui conviennent.

a. Si je suis le fils de Sophie, Sophie est .... mère.

b. Elle a un fils. Il s'appelle Tom. Tom est .... fils.

c. Si je suis le fils d'Alain et toi aussi, Alain est .... père.

d. Si tu es la petite-fille d'André. André est .... grand-père.

e. Son fils est mon cousin. Elle est .... tante.

Je peux comprendre le vocabulaire des vêtements et des couleurs.

2. Colorie cette tenue selon les indications ci-dessous : les baskets en rouge et blanc, la jupe en noir, le tee-shirt en bleu, le sac à dos en marron.

Je peux décrire une personne.

3. Transforme ces phrases au féminin.

a. Il est calme et intelligent. ....

b. Ils sont bavards et drôles. ....

c. Je suis blond et très grand. ....

d. Tu es timide et indépendant. ....

e. Il est courageux et sympa. ....

Je peux décrire une émotion et son intensité.

4. Classe les étiquettes dans la flèche, de plus à moins timide.

trop timide — un peu timide — timide — très timide — assez timide — pas du tout timide

→ .... → .... → .... → .... → .... → ....

UNITÉ 5
LE COLLÈGE

Cirque de Salazie (île de la Réunion)

Que sais-tu de Mélissa ?

Complète les informations sur Mélissa.

a. Dans quelle ville habite-t-elle ? ....

b. Quelle est sa nationalité ? ....

c. Quel âge a-t-elle ? ....

d. Écris trois choses qu'elle aime. ....

e. De quoi parle-t-elle sur son blog ? ....

1. LES HEURES

A Relie les deux colonnes.

1. Il est une heure du matin.
2. Il est quatre heures moins le quart.
3. Il est vingt-et-une heures trente.
4. Il est trois heures et quart du matin.
5. Il est deux heures moins vingt-cinq.
6. Il est seize heures pile.
7. Il est minuit moins dix.

- 3:15
- 01:00
- 23:50
- 3:45
- 21:30
- 16:00
- 13:35

B Observe et écris l'heure en toutes lettres.

Il est trois heures et quart de l'après-midi.

Il est ....

Il est ....

Il est ....

2. MON EMPLOI DU TEMPS

A Écoute ce message et complète l'emploi du temps de Thomas.

Piste 11

	LUNDI	MARDI	MERCREDI	JEUDI	VENDREDI
8h15-9h10		MATHÉMATIQUES		EPS	
9h15-10h10		LV1	TECHNOLOGIE		PERMANENCE
10h25-11h20	LV1	MATHÉMATIQUES	MATHÉMATIQUES	VIE DE CLASSE	PHYSIQUE-CHIMIE
11h25-12h20				LV1	
DÉJEUNER					
13h45-14h40		FRANÇAIS			FRANÇAIS
14h45-15h40				SVT	
15h55-16h50	ARTS PLASTIQUES	HISTOIRE-GÉOGRAPHIE			

B **Écris la matière dont il est question dans les descriptions suivantes.**

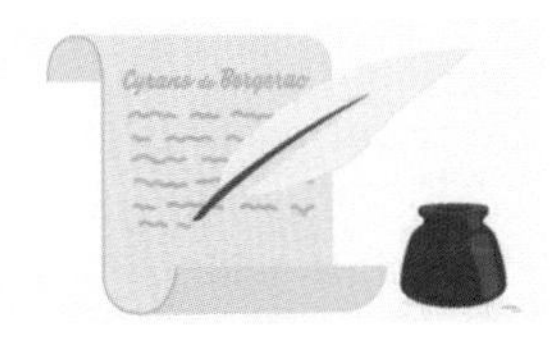

1. On fait de la grammaire, on lit des textes et on découvre des écrivains.

   ....

2. Dans ce cours, on fait des opérations avec des chiffres et des nombres.

   ....

3. Grâce à cette matière, on apprend une nouvelle langue et une nouvelle culture.

   ....

4. Dans ce cours, on utilise des cartes du monde, on apprend les capitales et on mémorise des dates.

   ....

3. *QUEL(S)* OU *QUELLE(S)*?

A **Complète les questions avec *quel*, *quels*, *quelle*, ou *quelles*.**

.... sont tes matières préférées ?

.... est ton professeur préféré ?

À .... heure tu commences l'école le matin ?

Tu as maths .... jours ?

B **Classe les mots dans le tableau. Ensuite, écris des questions et pose-les à ton camarade.**

langue   âge   activités   salle   jours

quel	*quels*	*quelle*	*quelles*

1. LES LIEUX DU COLLÈGE

A **Observe l'image et fais des phrases avec les étiquettes.**

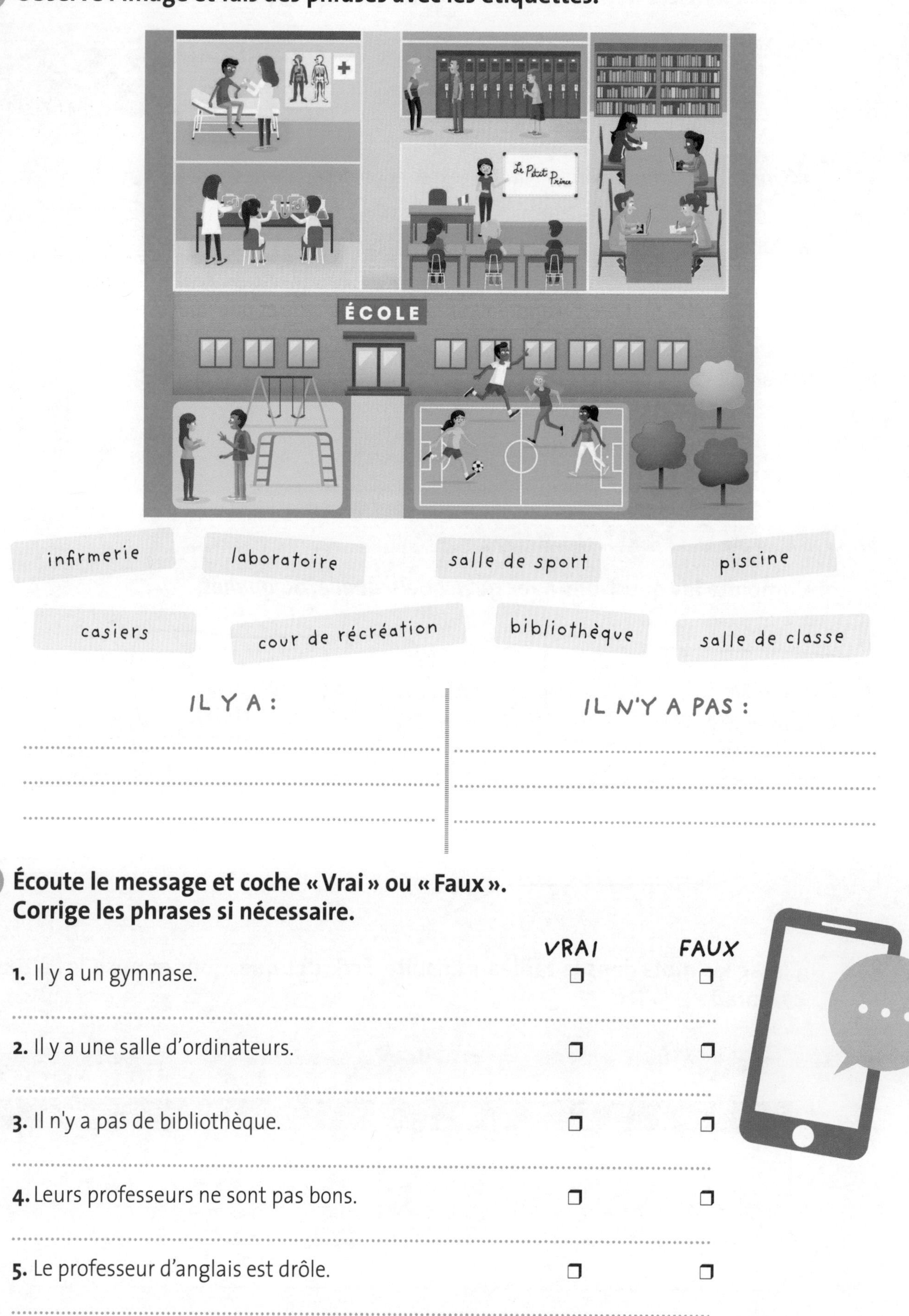

infirmerie | laboratoire | salle de sport | piscine

casiers | cour de récréation | bibliothèque | salle de classe

IL Y A :	IL N'Y A PAS :
....	....
....	....
....	....

B **Écoute le message et coche « Vrai » ou « Faux ». Corrige les phrases si nécessaire.**

Piste 12

	VRAI	FAUX
1. Il y a un gymnase.	❒	❒
....		
2. Il y a une salle d'ordinateurs.	❒	❒
....		
3. Il n'y a pas de bibliothèque.	❒	❒
....		
4. Leurs professeurs ne sont pas bons.	❒	❒
....		
5. Le professeur d'anglais est drôle.	❒	❒
....		

C **Lis les définitions et complète les mots croisés.**

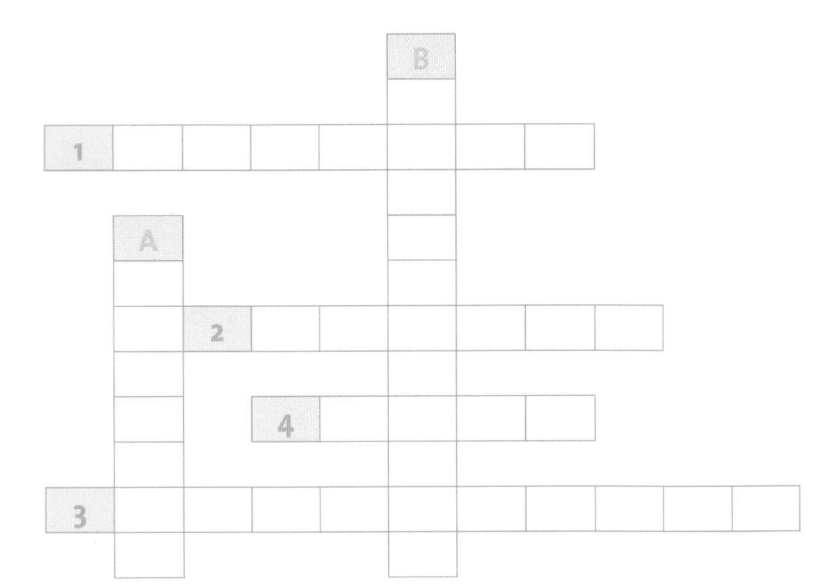

Horizontal
1 Le lieu pour l'EPS.
2 La salle pour les cours.
3 La pièce pour les malades.
4 L'espace pour la récréation.

VERTICAL
A Le passage pour aller d'une classe à l'autre.
B La salle pour les expériences en SVT ou en techno.

2. LES POSSESSIFS

A **Observe les images, choisis le possessif possible et écris une phrase comme dans l'exemple.**

NOTRE - NOS
C'est notre professeur.

NOTRE – NOS
....
....
....
....

MON – MES
....
....
....
....

LEUR – LEURS
....
....
....
....

NOTRE – NOS
....
....
....
....

B **Complète comme dans l'exemple.**

1. Les frères de Sarah. → *Ses frères.*
2. Le collège de Cécile et Édouard. → ....
3. Les casiers des élèves. → ....
4. Le professeur de Marie et moi. → ....
5. Les amis et Chloé et moi. → ....
6. Les parents de Tom et toi. → ....

1. LES ACTIVITÉS SPORTIVES ET EXTRASCOLAIRES

A **Observe et trouve les 15 activités dans le nuage de mots.**

natation skate roller escalade guitare
bibliothèque votre leur week-end tennis karaté surf
jeux vidéo blond brune cheveux yeux lapin chat oncle aller barbe
basket danse yoga heure vacances rentrée théâtre couloir collège SVT
cour zumba handball récréation maison emploi du temps horaire
géographie mathématiques livre cahier crayon salle

B **Associe les éléments des quatre colonnes et écris des phrases.**

Sakina Karchaoui
Tony Parker
Jo Wilfried Tsonga
Coralie Balmy
Floria Gueï
Tony Yoka

joue
fait

au
du
de la
de l'

athlétisme
tennis
natation
basket
boxe
foot

1. ....
2. ....
3. ....
4. ....
5. ....
6. ....

C **Conjugue les verbes et complète avec l'article contracté qui convient.**

1. Moi et mes amis, nous **(faire)** .... karaté tous les mercredis.
2. Tu **(faire)** .... peinture ?
3. Léa **(faire)** .... danse tous les jours.
4. Théo et ses amis **(jouer)** .... handball deux fois par semaine.
5. Je **(faire)** .... surf parfois le week-end.
6. Vous **(jouer)** .... jeux de société en famille ?

2. LA FRÉQUENCE

A **Observe le programme des sports pendant les vacances et coche « Vrai » ou « Faux ».**

JOUR	HORAIRE	ACTIVITÉS
MERCREDI 15 AVRIL	10h-12h	BASKET
	14h-16h	GYMNASTIQUE
JEUDI 16 AVRIL	10h-12h	FOOT EN SALLE
	14h-16h	NATATION
VENDREDI 17 AVRIL	10h-12h	BADMINTON
	14h-16h	ACTIVITÉS MANUELLES

	VRAI	FAUX
1. Il y a du sport tous les jours.	❒	❒
2. Les participants font souvent des activités manuelles.	❒	❒
3. Le jeudi, ils vont à la piscine l'après-midi.	❒	❒
4. Il y a du basket deux fois par semaine.	❒	❒
5. Ils font du foot le jeudi après-midi.	❒	❒

B **Et toi ? Complète les phrases suivantes pour parler de ton temps libre.**

1. Tous les jours, je ....
2. Le week-end, je ....
3. Le lundi matin, je ....
4. Je vais souvent ....
5. Deux fois par semaine, je ....

Je peux présenter mon emploi du temps.

1. Écris ton emploi du temps.

HORAIRES	LUNDI	MARDI	MERCREDI	JEUDI	VENDREDI

Je sais dire l'heure.

2. Écris les heures en toutes lettres.

a. 15:30 .... ou ....

b. 12:30 .... ou ....

c. 09:10 .... ou ....

d. 18:45 .... ou ....

e. 17:15 .... ou ....

Je peux parler des activités de loisir et de leur fréquence.

3. Écris ce que fait Leïla à partir des éléments suivants.

a. Leïla | jouer | très peu | jeux vidéo

....

b. Leïla | faire | basket | samedi

....

c. Leïla | faire | théâtre | deux fois par semaine

....

d. Leïla | aller | gymnase | le soir

....

e. Leïla | souvent | jouer | guitare | dimanche

....

UNITÉ 6
MA SEMAINE

Miroir d'eau, place de la Bourse, Bordeaux

Que sais-tu de Paul ?

Complète les informations sur Paul.

a. Dans quelle ville habite-t-il ? ....

b. Quelle est sa nationalité ? ....

c. Quel âge a-t-il ? ....

d. Écris trois choses qu'il aime. ....

e. De quoi parle-t-il sur son blog ? ....

1. LES MOMENTS DE LA JOURNÉE

A **Écoute et coche les activités que Louane réalise le matin.**

Piste 13

1. se laver les dents 2. aller à l'école 3. aller aux toilettes 4. se lever

5. faire le lit 6. se doucher 7. s'habiller 8. prendre le petit-déjeuner

9. préparer le sac 10. promener le chien 11. jouer de la guitare 12. écrire des messages

B **Écoute à nouveau et écris les activités dans l'ordre où Louane les fait.**

Piste 13

Le matin, Louane ....

....

....

C **Et toi ? Qu'est-ce que tu fais dans la journée ?**
Utilise les étiquettes pour faire des phrases.

se réveiller | dîner | aller à l'école | se coucher | se lever

se brosser les dents | goûter | regarder la télé | s'habiller

prendre le petit déjeuner | se laver | faire ses devoirs

D'ABORD ENSUITE PUIS APRÈS

1. ....

2. ....

3. ....

2. LE QUOTIDIEN

A **Dans chaque bulle, écris la lettre de la phrase qui décrit l'action.**

1. Gabin se lave les dents.
2. Alain promène le chien.
3. Arthur se réveille.
4. Isabelle prépare le petit déjeuner.
5. Max fait son sac.
6. Laura fait son lit.
7. Le chat dort.

B **Classe les verbes dans le tableau en les conjuguant comme dans l'exemple.**

SE LAVER DORMIR FAIRE SES DEVOIRS SE LEVER
FAIRE SON LIT DÉJEUNER PROMENER LE CHIEN
FAIRE DU SPORT FAIRE SES DEVOIRS
PRENDRE LE PETIT DÉJEUNER REGARDER LA TÉLÉ
ALLER À L'ÉCOLE SE BROSSER LES DENTS
SE DOUCHER FAIRE SON SAC DINER

LE MATIN	L'APRÈS-MIDI	LE SOIR
Je me lève		

C **Complète les terminaisons du verbe *lire*.**

Je li..........
Tu li..........
Il / Elle li..........
Nous lis..........
Vous lis..........
Ils / Elles lis..........

1. LES HEURES

A Piste 14

Écoute et associe les étiquettes avec les heures.
Puis écris les phrases avec l'heure en toutes lettres.

7:00 — 12:00 — 20:00 — 18:00 — 17:00

déjeuner — se réveiller — faire ses devoirs — dîner — rentrer de l'école

....

....

....

B Piste 15

Écoute et note les heures que tu entends toutes en lettres.

1. Il est ....
2. Il est ....
3. Il est ....
4. Il est ....
5. Il est ....

C **Paul interviewe sa sœur pour le journal du collège.**
Aide-le à retrouver les questions posées.

LE JOURNAL DE PAUL

....?
Le matin, je me lève à 7h.

....?
Je vais à l'école à 8h.

....?
Je m'entraîne au basket de 18h à 19h.

....?
Je regarde la télévision 5h par semaine.

....?
Je me couche vers 22h.

2. LA FRÉQUENCE

A **Qu'est-ce que tu fais à cette fréquence ?**

Jamais — toujours — souvent — de temps en temps

Je ne vais jamais à l'école avant 7 h. ....

....

....

....

B **Dis à quelle fréquence Alex réalise ces activités.**

Alex fait souvent du basket.

cuisine

Lun	Mar	Mer	Jeu	Ven	Sam	Dim

....

regarder des séries

Lun	Mar	Mer	Jeu	Ven	Sam	Dim
					√	
	√	√		√	√	√
√	√		√		√	
	√		√		√	√

....

cinéma

Lun	Mar	Mer	Jeu	Ven	Sam	Dim
					√	
					√	
					√	

....

discuter avec ses copains

Lun	Mar	Mer	Jeu	Ven	Sam	Dim
√	√	√	√	√	√	√
√	√	√	√	√	√	√
√	√	√	√	√	√	√
√	√	√	√	√	√	√
√	√	√				

....

voir ses amis

Lun	Mar	Mer	Jeu	Ven	Sam	Dim
		√			√	
		√			√	
		√			√	
		√			√	

....

3. LES ACTIVITÉS APRÈS LE COLLÈGE

A **Complète les dialogues à l'aide des étiquettes.**

moi aussi — moi non plus — moi si — moi non

Le week-end, le soir, je vais souvent au cinéma.
☺ ....

Le samedi matin, je fais parfois du surf.
☹ ....

Je fais souvent du skate le soir.
☹ ....

Le mardi soir, je fais toujours du sport.
☺ ....

Je fais toujours mes devoirs après dîner.
☺ ....

Je ne joue jamais aux jeux vidéo.
☹ ....

Le soir, je ne regarde pas la télé.
☺ ....

B **Et toi ? Que fais-tu le week-end ?**

....

....

1. LES LOISIRS

A **Observe les images et note le nom de chaque activité en écrivant une phrase.**

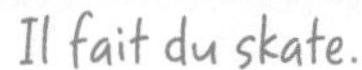

....

....

....

....

....

B **Et toi ? Qu'est-ce que tu fais comme activités le week-end ?**

....

....

....

....

C **Observe les dessins et imagine les activités que les trois adolescents proposent.**

2. LES SORTIES

A Piste 16

Écoute la conversation entre Max et Zoé et réponds aux questions en cochant la bonne case.

	VRAI	FAUX	ON NE SAIT PAS
Zoé ne veut pas aller au cinéma.	❒	❒	❒
Max veut voir un film de science-fiction.	❒	❒	❒
Zoé propose à Max d'aller faire un pique-nique.	❒	❒	❒
Zoé veut voir un concert de rap.	❒	❒	❒
Max accepte de faire le pique-nique.	❒	❒	❒
Max ne veut pas voir le concert.	❒	❒	❒

B **Écris les expressions dans la colonne qui convient.**

Non, merci ! — Génial ! — Bof... ça ne me dit rien — Trop bien ! — C'est cool ! — Super ! — Très bonne idée ! — J'adore ! — Avec plaisir ! — Jamais de la vie !

🙂	🙁
....	....
....	....
....	....
....	....
....	....
....	....
....	....
....	....

Je peux présenter des actions dans l'ordre chronologique.

1. Réécris chaque phrase en mettant les actions dans l'ordre des photos.

D'abord, Louise se douche, **ensuite** elle prend le petit déjeuner et **après** elle prépare son sac.

....

....

Mathis se lave **d'abord** les dents **avant de** faire son lit, **après** il s'habille.

....

....

Je sais parler de mon quotidien et de celui de mes amis.

2. Écris des phrases à l'aide des étiquettes.

Le lundi | Léo | se lever | 7h30

....

Le matin | Lucie et moi | aller à l'école | 8h

....

L'après-midi | Je | prendre le goûter | 17h

....

12h | Enzo | déjeuner

....

Le soir | tu | surfer sur Internet | 18h/18h30

....

Je sais accepter ou refuser une proposition.

3. Observe et réponds à ces invitations.

1. Ça te dit de faire un stage de voile pendant les vacances ?
☹ **bof** **ne pas aimer** Bof, je n'aime pas trop la voile.

2. Tu es disponible pour aller voir un concert de musique indie ?
☺ **bonne idée** **adorer**

....

3. Vous voulez aller faire du skate avec nous mardi soir ?
☹ **impossible** **devoirs**

....

4. On va à la piscine demain ?
☺ **super** **aimer bien**

....

UNITÉ 7
MON QUARTIER

Les berges du Rhône, Lyon

Que sais-tu de Jade ?

Complète les informations sur Jade.

a. Dans quelle ville habite-t-elle ? ....

b. Quelle est sa nationalité ? ....

c. Qu'est-ce qu'elle aime faire avec ses amies ? ....

d. Écris trois choses qu'elle aime. ....

e. De quoi parle-t-elle sur son blog ? ....

1. LA VILLE DE LYON

A Piste 17

1. Trois jeunes parlent de leur quartier. Écoute-les et associe les étiquettes aux photos.

a. La Guillotière

b. Les Cordeliers

c. La Part-Dieu

2. Quel lieu est présent dans les trois quartiers ?

❒ un stade ❒ un hôtel ❒ un supermarché ❒ une gare

3. Dans lequel de ces trois quartiers préfères-tu habiter ? Pourquoi ?

Moi, je préfère habiter dans le quartier...

....

....

....

B **Devine les mots et retrouve le mot mystère dans les cases en rouge.**

Je vais dans ce lieu quand je suis très malade.

1. C'est un lieu pour lire des livres, des journaux, écouter de la musique, etc.
2. Je vais dans ce lieu pour voir des films.
3. C'est un lieu pour acheter des vêtements, par exemple.
4. Je vais dans ce lieu pour voir des compétitions sportives.
5. Je vais dans ce lieu pour prendre le train.
6. C'est un lieu à visiter pour voir des tableaux et des sculptures.

C ***Il y a* ou *il n'y a pas* ? Complète avec la bonne expression.**

1. Dans ma région, ... un fleuve, mais .... de plage.
2. Dans mon quartier, ... de cinéma, mais .... un théâtre.
3. Dans ma rue, ... des restaurants, mais .... de médiathèque.

2. JE PROPOSE DES ACTIVITÉS

A **Associe les éléments de chaque colonne pour imaginer un maximum d'activités.**

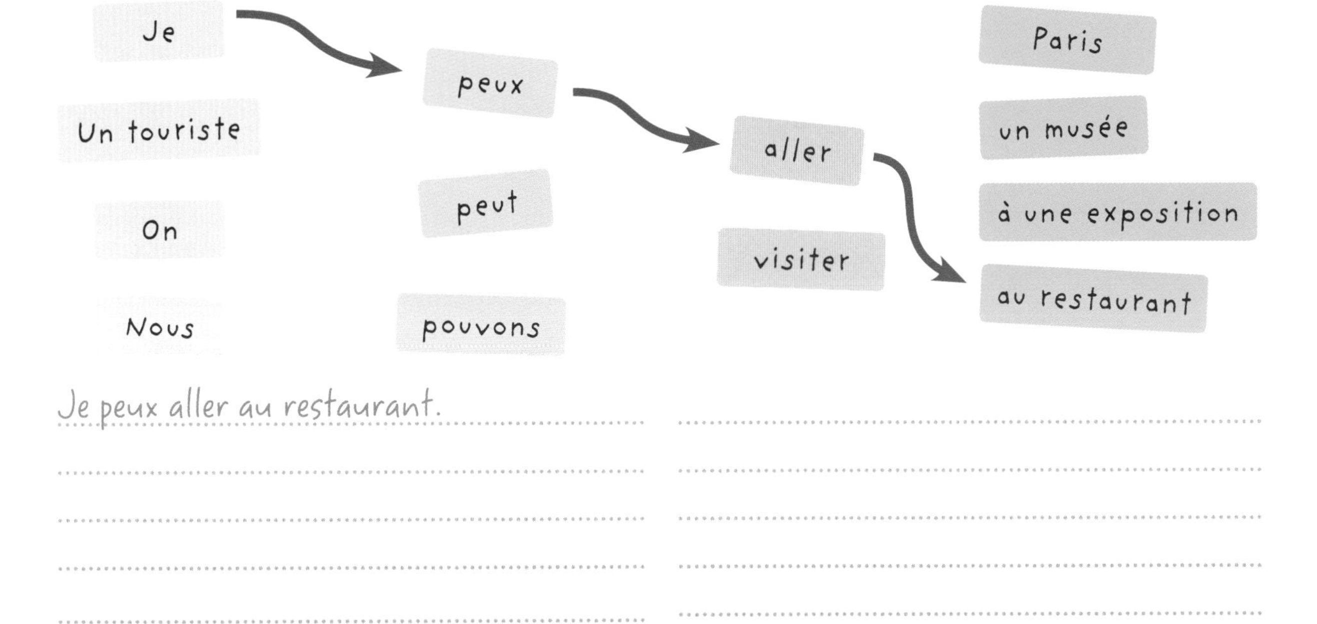

Je peux aller au restaurant. ....

....

....

....

....

B **Réécris ces questions en changeant de personne.**

1. Je peux faire du vélo ? → Nous .... ?
2. Elle peut aller dans une discothèque ? → Elles .... ?
3. Nous pouvons visiter ce musée ? → On .... ?

C **Réponds aux questions par *non*.**

1. ● Tu peux aller au cinéma seul(e) ?
   ○ Non, je ne peux pas aller au cinéma seul(e).
2. ● Avec tes amis, vous pouvez aller à l'école à scooter ?
   ○ ....
3. ● Tu peux courir dans le parc la nuit ?
   ○ ....
4. ● Les élèves peuvent faire du skateboard dans la classe ?
   ○ ....

1. ON SE RETROUVE COMMENT ?

A **1. Lis la conversation entre Anne et ses amies. Puis coche les moyens de transport qu'elles utilisent.**

Anne
Salut les filles ! On va étudier ensemble à la bibliothèque cet après-midi ? À 16 h ? 09:13

Jade
Bonne idée ! Moi, je prends le bus 31 et j'arrive place des Martyrs, juste derrière la piscine. On se retrouve sur la place ou à la bibliothèque ? 09:14

Cristina
Salut les filles ! OK pour 16 h. Je viens en voiture avec mes parents. Je préfère vous retrouver devant la bibliothèque ! 09:14

Anne
Super ! Jade, je peux te rejoindre place des Martyrs, à côté de la pharmacie à 15 h 50. Et après on va à pied jusqu'à la bibliothèque ? 09:16

Jade
Merci, Anne ! C'est parfait pour moi. À tout à l'heure ! 09:16

	Anne	Jade	Cristina
bus			
à pied	✔		
tram			
vélo			
voiture			

2. Réponds aux questions.

a. Qu'est-ce que les filles vont faire cet après-midi ? ....

b. Est-ce que Cristina vient aussi ? ....

c. Où est-ce que Jade et Anne se retrouvent à 15 h 50 ? ....

B **Entoure la bonne réponse.**

1. Il va au collège **en** - **à** bus.

2. Le restaurant est à côté **le** - **du** centre commercial.

3. Tu vas au stade **en** - **à** vélo.

4. Le musée est entre **la** - **de la** boulangerie et **le** - **du** café.

5. Ils vont à l'université **en** - **à** métro.

6. Le métro est près **la** - **de la** bibliothèque.

7. Le supermarché est en face **le** - **du** cinéma.

2. J'INDIQUE UN ITINÉRAIRE

A **Écris l'expression correcte sous chaque symbole : *prendre à droite, tourner à gauche, continuer tout droit, traverser la rue.***

....

B **Écoute et entoure le verbe entendu.**

Piste 18

1. **Longe** - **Longez** le quai Courmont.
2. **Tourne** - **Tournez** à droite après le théâtre.
3. **Marche** - **Marchez** jusqu'à la place Bellecour.
4. **Prends** - **Prenez** à gauche la rue de la Charité.
5. **Continue** - **Continuez** tout droit.
6. **Traverse** - **Traversez** la rue Sala.

C **Complète les phrases avec les verbes à l'impératif.**

1. **(prendre – tu)** .... le bus n°5.
2. **(aller – vous)** .... voir la nouvelle exposition !
3. **(faire – tu)** Ne .... pas les magasins dans ce quartier : c'est trop cher !
4. **(tourner – tu)** .... à gauche !
5. **(traverser – vous)** Ne .... pas : le feu est rouge !

D **À l'aide du plan, réponds à ton amie pour lui indiquer l'itinéraire.**

Leïla
Coucou ! Je suis à la gare Saint-Paul. Comment je peux te rejoindre au musée des Arts de la Marionnette ?

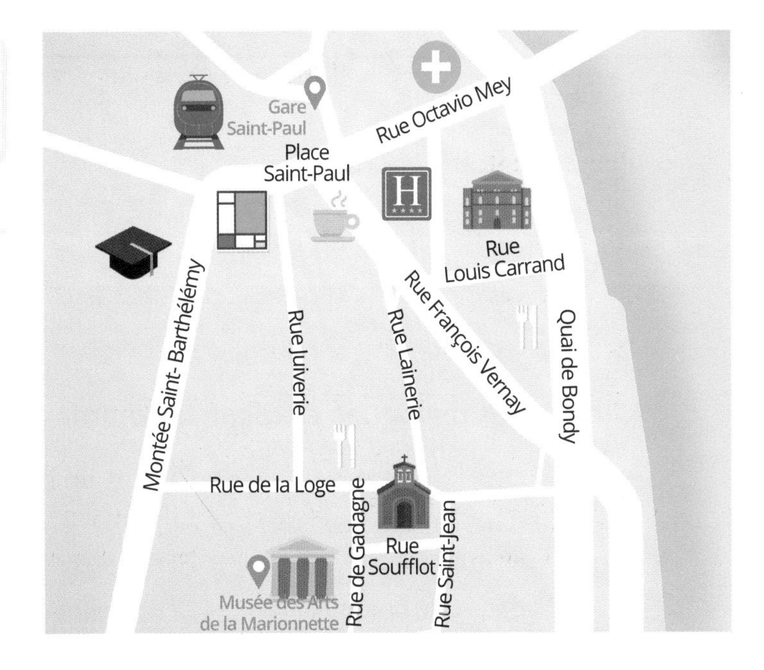

1. ON FAIT DU SHOPPING ?

A **Associe les contraires.**

B **Retrouve les 12 articles cachés dans les mots mêlés.**

G A F Ç H U S H C A S B W Y T S U R
R E O C E B U T S T L A P B H O L K
H D T R L Ç F L S N S E E Ç R L O I
O U I N I K I B U A E P L E X R H S
Z A E H O O Ç I L P T M U P C G D U
E I U L P A R A P D T A C Q C D G F
P U L L A E Y F Ç L O L H W O I Z V
F N B W N I E E B B B O E Z Q O N Q
K W S J T T B R H B O N B O N M Z U
I L Ç I A W O D M S A X A X J V E I
Y Z M F L B R S E T T E N U L I N D
A N E O O K J T P O G C D F E R T U
L I G U N T M U F R A P H A S N O M
B R O R I S C P T Q B U I L L A C Y
U G F A D I E C F Z Y Ç A P O X I A

C **Écoute les dialogues et coche le commerce dans lequel se trouvent les personnes.**

Piste 19

1. ❒ chez le fleuriste
❒ dans un magasin de chaussures
❒ dans une braderie

2. ❒ dans un magasin de jeux vidéo
❒ chez l'opticien
❒ dans une parfumerie

3. ❒ dans une librairie
❒ chez le glacier
❒ dans un magasin de vêtements

2. JE L'ACHÈTE !

A Piste 20 **Écoute ces personnes parler de leurs habitudes de shopping. Coche le profil d'acheteur qui correspond à chacun.**

	1	2	3	4
L'accro au shopping : Faire les magasins, c'est très important.				
L'économe : Il faut faire attention aux prix.				
L'anti-shopping : Faire du shopping, c'est horrible !				
L'acheteur engagé : Il faut consommer de manière responsable.				

B Remets dans l'ordre le dialogue entre le client et le vendeur.

- ☐ Je fais du M.
- ☐ Alors, nous avons ces deux modèles à droite. Regardez : il y a ce polo de la nouvelle collection et un autre plus classique. Vous aimez ?
- ☐ Bonjour, je voudrais un polo bleu.
- ☐ Bien sûr, vous faites quelle taille ?
- ☐ Oui, beaucoup. Je peux les essayer ?
- 1 Bonjour monsieur, vous cherchez quelque chose en particulier ? Je peux vous aider ?
- ☐ Voilà, monsieur ! Les cabines d'essayage sont à gauche.

C Complète le dialogue avec les verbes *avoir, être, coûter, faire ou essayer* au présent.

- • Excusez-moi madame ! J'aime beaucoup cette paire de bottes en vitrine, mais je n'aime pas la couleur. Vous l'.............................. en marron ?
- ○ Oui, regardez ici ! Ces bottes .... très jolies.
- • Super ! Elles sont en soldes, n'est-ce pas ? Combien ça ....?
- ○ Avec la réduction de 20 %, ça .... 45,95 €.
- • Ce n'est pas trop cher. Je peux les .... ?
- ○ Bien sûr ! Vous faites du combien ?
- • Je .... du 38.
- ○ D'accord, asseyez-vous. Je reviens tout de suite.

Je sais décrire une ville.

1. Complète avec les déterminants suivants : *un, une, de, du, de la* ou *la*.

Dans mon quartier, il y a .... jolie gare à droite de chez moi. Il y a .... cinéma et .... bibliothèque en face .... gare. Il y a aussi beaucoup .... magasins.
Il n'y a pas .... parc et il n'y a pas .... musée.
Mais il y a .... stade, près .... cinéma et derrière .... bibliothèque.

Je peux parler de mes activités.

2. Reécris les phrases avec *on*.

a. Nous allons au restaurant. → On ....

b. Nous pouvons faire les magasins. → ....

c. Nous visitons le musée. → ....

d. Nous faisons de l'aviron. → ....

Je sais indiquer un itinéraire.

3. Conjugue les verbes à l'impératif.

De : virginie2006@alaune.fr
Objet : Pour venir chez moi

Salut Maté !

J'habite à côté du terminus du métro B. Pour venir chez moi, quand tu descends au terminus, (**prendre**) .... la sortie « centre-ville ». (**Continuer**) .... tout droit et (**longer**) .... le quai : tu arrives à une place. (**Traverser**) .... cette place et (**tourner**) .... dans la première rue à gauche. (**Aller**) .... jusqu'au numéro 26. C'est là !

À tout à l'heure !
Virginie

Je peux faire des achats.

4. Associe les dialogues aux dessins.

a
- Tout va bien ? La taille, ça va ?
- Vous l'avez en 38 ? Le 36 est un peu petit.

b
- J'aime beaucoup ce pull. Je peux l'essayer ?
- Bien sûr ! Les cabines sont là-bas.

c
- Et combien ça coûte ?
- Ça fait 24,90 €, s'il vous plaît.

UNITÉ 8
JE ME SENS BIEN

Le pont Saint-Pierre, Toulouse

Que sais-tu de Noé ?

Complète les informations sur Noé.

a. Dans quelle ville habite-t-il ? ....

b. Quelle est sa nationalité ? ....

c. Quel sport fait-il ? ....

d. Qu'est-ce qu'il aime faire avec ses amis ? ....

e. De quoi parle-t-il sur son blog ? ....

1. LES PARTIES DU CORPS

A Écris le nom des 10 parties du corps indiquées par une flèche.

B Kilian a imaginé un monstre. Écoute sa description et dessine son monstre.

Piste 21

C Associe les problèmes aux causes.

1.	J'ai mal aux oreilles.		Je porte des chaussures trop petites.
2.	Je me sens fatigué.		Je n'ai pas dormi cette nuit.
3.	J'ai des frissons.		J'ai trop mangé.
4.	J'ai mal aux cuisses.		J'écoute de la musique trop fort.
5.	J'ai mal aux pieds.		J'ai fait beaucoup de vélo.
6.	J'ai mal au ventre.		J'ai de la fièvre.

8

2. JE NE ME SENS PAS BIEN !

A Tu as mal où ? Fais des phrases comme dans l'exemple.

1. le genou → J'ai mal au genou.
2. la tête → ....
3. le ventre → ....
4. les oreilles → ....
5. l'épaule → ....
6. les pieds → ....
7. le dos → ....
8. la jambe → ....

B Janis ne se sent pas en forme. Elle va voir le docteur. Remets le dialogue dans l'ordre.

- [1] Bonjour Janis !
- [ ] Et tu es fatiguée en ce moment ?
- [ ] J'ai mal à la tête.
- [ ] Bonjour docteur !
- [ ] Qu'est-ce qui ne va pas ?
- [ ] Non, je n'ai pas de fièvre.
- [ ] Oui, et aussi quand je regarde la télévision.
- [ ] Est-ce que tu as de la fièvre ?
- [ ] Bon, alors tu as peut-être besoin de lunettes. Assieds-toi ici, s'il te plaît, et lis les lettres sur le tableau.
- [ ] Non, je ne suis pas fatiguée. Je me sens en forme.
- [ ] D'accord. Et est-ce que tu as mal aux yeux quand tu lis ?

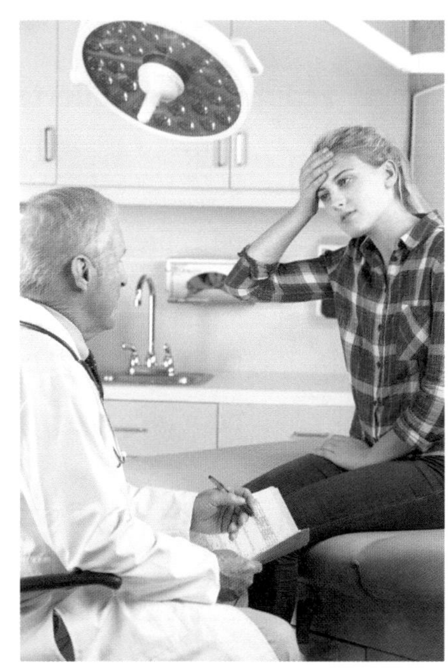

C Complète les phrases suivantes avec *il faut* ou *il ne faut pas*.

1. Pour bien commencer sa journée, ... préparer ses affaires la veille.
2. Pour avoir confiance en soi, ... se dévaloriser.
3. Pour avoir une belle peau, ... manger beaucoup de légumes et de fruits.
4. Pour bien dormir, ... dîner trop lourd ni trop gras.
5. Pour économiser la batterie de son téléphone portable, ... désactiver le reglage automatique de la luminosité.

1. POURQUOI TU ES STRESSÉ ?

A Utilise une étiquette de chaque colonne et relie-les avec *parce que/qu'*.

Sophie n'aime pas travailler en groupe

Valentin est stressé pour le test d'anglais

Natacha ne veut pas s'inscrire à la course du lycée

Étienne est stressé pour le match de samedi

il n'est pas bon en anglais.

l'autre équipe est très forte.

elle a peur d'arriver la dernière.

elle a peur de travailler plus que les autres.

1. ....
2. ....
3. ....
4. ....

B Écoute ce que Juliette dit et associe les débuts de phrases à leurs fins.

Piste 22

- ☐ ... pour réviser ensemble avant les grands contrôles.
- ☐ ... pour préparer ma présentation orale.
- ☐ ... pour penser à faire mes devoirs.
- ☐ ... pour être prête en cas d'interrogation surprise.
- ☐ ... pour ne pas oublier mon matériel de classe.

C Propose des solutions à ces élèves français pour faire des progrès en français.

- Je veux améliorer mon écrit.
  - Pour améliorer ton écrit, tu peux lire des magazines en français.
- Je veux réviser la conjugaison.
  - ....
- Je veux découvrir la culture espagnole.
  - ....
- Je veux améliorer mon oral.
  - ....

2. LUTTONS CONTRE LE STRESS !

A **1. Conjugue les verbes à l'impératif.**

UN WEEK-END SANS STRESS !

(organiser) Organise ton temps libre : **(faire)** .... des activités en plein air, **(jouer)** .... avec des amis, mais **(réserver)** .... deux heures pour tes devoirs.
(ne pas faire) .... tes devoirs le dimanche soir ! **(limiter)** .... le temps passé devant la télé et l'ordinateur et **(préférer)** .... les activités manuelles : **(dessiner)** ...., **(faire)** .... du sport, **(jouer)** .... d'un instrument de musique. **(ne pas oublier)** .... de manger des fruits et du chocolat à 16 h pour faire le plein d'énergie !

2. Propose un programme pour lutter contre le stress avec la liste ci-dessous. Conjugue les verbes à l'impératif.

Faire du sport
Respirer avec le ventre
Écouter de la musique
Ne pas se coucher tard
Ne pas faire 10 000 choses en même temps
Ne pas hésiter à faire une pause

B **Écoute ce tutoriel de yoga et associe chaque instruction à un dessin. Attention ! Il y a plus de dessins que d'instructions !**

Piste 23

1. HEUREUX OU PAS HEUREUX ?

A **À l'aide des expressions, rédige un questionnaire pour savoir si on est heureux(se).**

		OUI	NON
Voir toujours les choses du bon côté	Tu vois toujours les choses du bon côté ?	☐	☐
Se détendre facilement	....	☐	☐
Se sentir souvent frustré(e) parce qu'on n'arrive pas à tout faire	....	☐	☐
Comparer sa vie avec la vie des autres	....	☐	☐
Avec plus d'argent, on pourrait être plus heureux	....	☐	☐

B **Retrouve cinq émotions en associant ces pièces de puzzle.**

STE ÉN ENT CO EUX CAL
ER HEUR TRI NT ME VÉ

1. ....
2. ....
3. ....
4. ....
5. ....

C **Écris trois activités qui te rendent heureux(se).**

Je suis HEUREUX quand...

....
....

....
....

....
....

2. IL EST OÙ LE BONHEUR ?

A **Écoute cette émission à la radio et coche les bonnes réponses.**

Piste 24

1. L'émission a pour thème :
   ❒ les problèmes des adolescents.
   ❒ le bonheur des adolescents.
   ❒ les adolescents et le sommeil.

2. Les jeunes Français ont noté leur niveau de satisfaction de vie :
   ❒ entre 6 et 7.
   ❒ entre 7 et 8.
   ❒ entre 8 et 10.

3. En moyenne les ados Français passent :
   ❒ plus de deux heures après l'école sur Internet.
   ❒ moins de deux heures après l'école sur Internet.
   ❒ plus de trois heures après l'école sur Internet.

4. Souvent les jeunes se connectent :
   ❒ le soir.
   ❒ l'après-midi.
   ❒ le matin.

5. Quels autres conseils donne la psychologue ?

❒ 

❒ 

❒ 

B **Réécris ces conseils en utilisant les expressions proposées.**

Tu peux   Il faut   Tu pourrais

1. Parle avec tes parents ! → ....
2. Limite ton temps de connexion ! → ....
3. Fais des exercices de relaxation ! → ....
4. Essaie de te coucher tôt ! → ....
5. Écoute de la musique pour te détendre ! → ....
6. Mange moins le soir ! → ....
7. Appelle tes grands-parents ! → ....
8. Pratique une activité sportive ! → ....
9. Bois environ deux litres d'eau par jour ! → ....

Je parle des parties du corps.

1. Entoure l'intrus dans chaque liste.

a. pied - tête - genou - cheville

b. bouche - épaule - nez - yeux

c. jambe - mollet - oreille - cuisse

d. poumon - coude - bras - main

Je peux décrire un problème physique.

2. Décris l'état des personnes sur chaque photo et donne une cause possible pour chaque problème.

Je me sens fatiguée parce que je n'arrive pas à dormir la nuit.

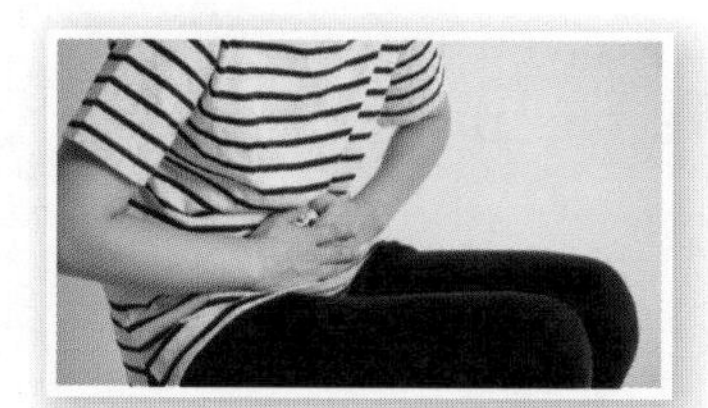

....

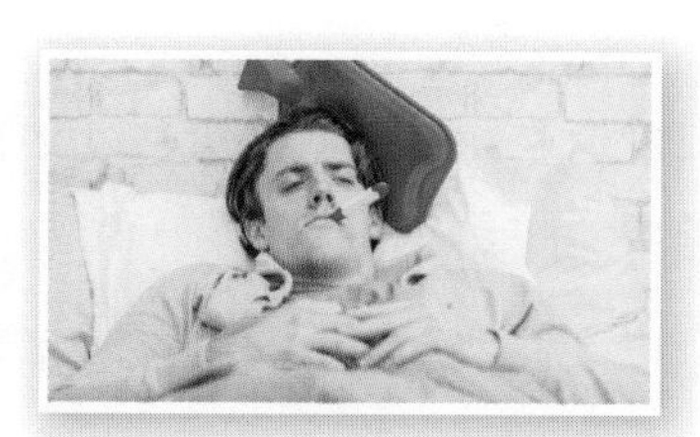

....

Je peux utiliser l'impératif à la forme négative.

3. Réécris les phrases à la forme négative.

a. Mange beaucoup le soir ! → ....

b. Oublie tes devoirs ! → ....

c. Joue sur ton smartphone ! → ....

d. Lève les bras ! → ....

e. Raconte ta blague ! → ....

Je peux donner des conseils.

4. Donne un conseil à chaque élève avec *tu peux, tu pourrais* ou *il faut*.

a. Mathias a de mauvaises notes à l'école.

→ ....

b. Joris n'arrive pas à s'endormir le soir.

→ ....

c. Fanny a mal au dos.

→ ....

PRÉPARATION AU DELF

NATURE DES ÉPREUVES
2 ÉPREUVES → 2 CONVOCATIONS POUR L'EXAMEN :

1. LES ÉPREUVES COLLECTIVES :
Elles sont composées de trois parties :
- La compréhension de l'oral
- La compréhension des écrits
- La production écrite

2. L'ÉPREUVE INDIVIDUELLE de production et interaction orales :
Elle est composée de trois parties :
- L'entretien dirigé
- L'échange d'informations
- Le dialogue simulé

NATURE DES ÉPREUVES	DURÉE	NOTE SUR
ÉPREUVES COLLECTIVES		
COMPRÉHENSION DE L'ORAL (CO) Réponse à des questionnaires portant sur trois ou quatre courts documents enregistrés ayant trait à des situations de la vie quotidienne (2 écoutes). Durée maximale des documents : 3 min.	20 min. environ	25
COMPRÉHENSION DES ÉCRITS (CE) Réponse à des questionnaires de compréhension portant sur quatre ou cinq documents relatifs à des situations de la vie quotidienne.	30 min.	25
PRODUCTION ÉCRITE (PE) Épreuve en deux parties : • Compléter un formulaire, une fiche, etc. • Rédiger des phrases simples (cartes postales, légendes, etc.) sur des sujets de la vie quotidienne.	30 min.	25
ÉPREUVES INDIVIDUELLES		
PRODUCTION ET INTERACTION ORALES (PO) Épreuve en trois parties : • entretien dirigé • échange d'informations • dialogue simulé	10 min. de préparation (exercices 2 et 3) Passation 5 à 7 min.	25
Seuil de réussite pour obtenir le diplôme : 50 / 100 Note minimale requise (pour chaque épreuve) : 5 / 25	Durée totale des épreuves : 1h25	Note totale : 100

Pour répondre aux questions, cochez (☒) la bonne réponse ou écrivez l'information demandée.

EXERCICE 1 — 4 POINTS

Piste 25

Vous allez entendre un document. Vous pourrez entendre ce document 2 fois. Lisez les questions et répondez. À la fin de l'écoute vous aurez encore du temps pour compléter et vérifier vos réponses.

→ Vous êtes à la médiathèque. Vous entendez cette conversation. Répondez aux questions.

1. La personne veut des informations pour :

....

....

....

2. En premier, il faut :
- ❒ envoyer un mail
- ❒ compléter un formulaire
- ❒ payer

3. On doit donner combien de photos ?

....

4. On doit aussi donner :

❒

❒ 

❒ 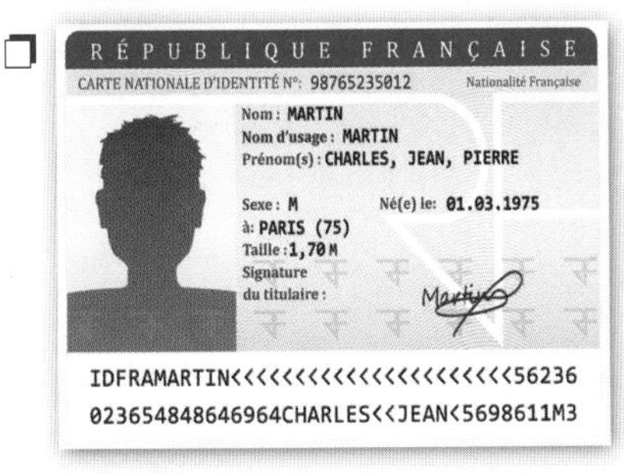

EXERCICE 2 — 5 POINTS

Piste 26

Vous allez entendre un document. Vous pourrez entendre ce document 2 fois. Lisez les questions et répondez. À la fin de l'écoute, vous aurez encore du temps pour compléter et vérifier vos réponses.

→ Vous entendez ce message sur votre répondeur. Répondez aux questions.

1. Sophie vous téléphone pour :
- ❒ aller au cinéma
- ❒ aller faire des achats
- ❒ aller au parc d'attractions

2. Elle vous propose d'y aller quel jour ?

....

3. Vous devez confirmer avant :
❒ mardi ❒ samedi ❒ jeudi

4. Vous devez confirmer ce que Sophie doit acheter :

....

EXERCICE 3 — 6 POINTS

Piste 27

Vous allez entendre un document. Vous pourrez entendre ce document 2 fois. Lisez les questions et répondez. À la fin de l'écoute, vous aurez encore du temps pour compléter et vérifier vos réponses.

→ Vous entendez cette annonce à l'aéroport. Répondez aux questions.

1. L'annonce dit que le vol pour Madrid est :
❒ annulé ❒ en retard ❒ reporté

2. Pourquoi ?

....

3. Vous devez vous rendre dans le hall :
❒ 5 ❒ 6 ❒ 7

4. Avec quel document devez-vous aller dans le hall ?

....

EXERCICE 4

Piste 28

10 POINTS

Vous allez entendre cinq petits dialogues correspondant à cinq situations différentes. Il y a quinze secondes de pause après chaque dialogue. Notez, sous chaque image, le numéro du dialogue qui correspond. Puis vous allez entendre à nouveau les dialogues et pouvez compléter vos réponses. Regardez les images. Attention, il y a six images mais seulement cinq dialogues.

Situation n° ....

Situation n° ....

Situation n° ....

Situation n° ....

Situation n° ....

Situation n° ....

Pour répondre aux questions, cochez (☒) la bonne réponse ou écrivez l'information demandée.

EXERCICE 1 — 6 POINTS

Vous lisez ces annonces sur un site Internet français.

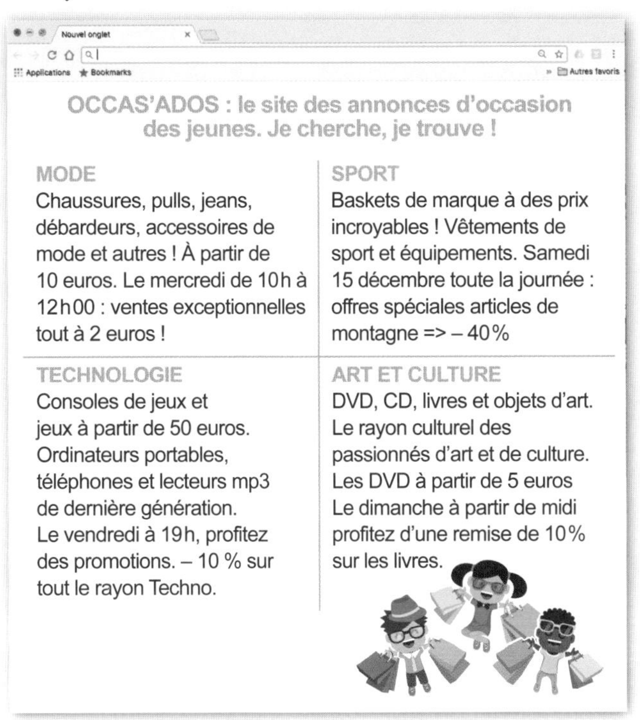

OCCAS'ADOS : le site des annonces d'occasion des jeunes. Je cherche, je trouve !

MODE
Chaussures, pulls, jeans, débardeurs, accessoires de mode et autres ! À partir de 10 euros. Le mercredi de 10h à 12h00 : ventes exceptionnelles tout à 2 euros !

SPORT
Baskets de marque à des prix incroyables ! Vêtements de sport et équipements. Samedi 15 décembre toute la journée : offres spéciales articles de montagne => – 40%

TECHNOLOGIE
Consoles de jeux et jeux à partir de 50 euros. Ordinateurs portables, téléphones et lecteurs mp3 de dernière génération. Le vendredi à 19h, profitez des promotions. – 10 % sur tout le rayon Techno.

ART ET CULTURE
DVD, CD, livres et objets d'art. Le rayon culturel des passionnés d'art et de culture. Les DVD à partir de 5 euros Le dimanche à partir de midi profitez d'une remise de 10% sur les livres.

→ Répondez aux questions.

1. C'est un site qui vend des articles :
❒ d'occasion ❒ neufs ❒ pour la maison

2. Quel rayon propose des offres spéciales le samedi ?

....

3. Le mercredi, les ventes exceptionnelles à 2 euros durent :
❒ toute la journée ❒ l'après-midi
❒ 2 heures

4. À partir de midi, sur quels articles peut-on profiter d'une remise de 10% ?

❒ 

❒ 

❒ 

EXERCICE 2 — 6 POINTS

Lucie reçoit ce message de son correspondant français.

De : Arthur2012@orange.fr/gmail.com
Objet : Vacances d'été

Salut, comment vas-tu ? J'espère que tout va bien pour toi et ta famille.

Je t'écris pour t'annoncer que moi, mes parents et ma sœur nous allons venir dans ton pays pour les vacances au mois de juillet. Nous allons visiter beaucoup de villes et faire du camping.

Est-ce que tu seras présente la deuxième semaine du mois de juillet ? Je serai très content de te rencontrer quand nous serons dans ta ville.

Nous partons de Nantes le 3 juillet en avion et le retour est prévu le 25. J'espère que nous allons réussir à nous voir !

J'attends ta réponse. À bientôt !

Arthur

→ Répondez aux questions.

1. Arthur propose à Lucie :
❒ de partir en vacances
❒ de se rencontrer cet été
❒ de faire du camping

2. Que vont faire Arthur et sa famille durant ces vacances ?

....

....

3. Arthur vient pendant la :
❒ première semaine du mois de juillet.
❒ deuxième semaine du mois de juillet.
❒ troisième semaine du mois de juillet.

4. À quelle date Arthur rentre chez lui en France ?

....

....

EXERCICE 3 — 6 POINTS

Vous lisez cette annonce dans le hall du collège.

TU AIMES LES ANIMAUX ?
ALORS, ADOPTE UN «N.A.C»!

L'ASSOCIATION "NACS ET NOUS"
TE PROPOSE D'ADOPTER UN ANIMAL ORIGINAL...

63 millions d'animaux domestiques
Enquête réalisée à l'automne 2014 sur 14 000 foyers français

	en millions
Poissons	34,2
Chats	12,7
Chiens	7,3
Oiseaux	5,7
Petits mammifères	2,8

En France, il y a 63 millions d'animaux domestiques. Les animaux préférés des Français sont, en première position, les... poissons ! Ensuite, les chats et les chiens. Mais est-ce que tu connais les **NACS** ? Cet acronyme veut dire : **Nouveaux Animaux de Compagnie.**
Il y a environ 4 millions de ces animaux en France. Les plus appréciés sont le lapin, le cochon d'Inde ... et le rat domestique ! Pour adopter un NAC, c'est facile : inscris-toi sur notre site « NACS ET NOUS » et remplis le formulaire d'adoption. Actuellement, il y a au total 15 NACS disponibles : 10 lapins, 2 cochons d'Inde et 3 rats !
N'attends pas, c'est gratuit !

→ Répondez aux questions.

1. Un NAC c'est :
❒ un acronyme
❒ un synonyme
❒ un surnom qui désigne les Nouveaux Animaux de compagnie.

2. Quel est l'animal domestique préféré des français en première position ?

....

....

3. Combien de NACS sont disponibles à l'adoption ?
❒ 10 ❒ 15 ❒ 2

4. Qu'est-ce qu'il faut faire pour adopter un NAC ?

....

....

EXERCICE 4 — 7 POINTS

Vous lisez cette annonce dans un magazine français.

GRAND CONCOURS
POUR LES ADOS
Solutions pour l'environnement !

Ta vision du monde nous intéresse ! Tu aimes faire des photos ?
Tu préfères filmer ?
Alors participe à notre grand concours !

C'est facile : deviens journaliste pour un moment et crée un petit reportage photo ou vidéo. Si le jury choisit ton reportage, tu peux gagner un prix fantastique comme par exemple une caméra GoPro ou un appareil photo.
En 2016, 225 reporters en herbe ont participé à l'aventure, et 6 gagnants ont reçu de magnifiques cadeaux.
C'est à toi de participer maintenant !

« Solutions pour l'environnement : fais le portrait d'un protecteur de l'environnement ! »

Pour participer, inscris-toi sur le site de notre magazine, télécharge le règlement du concours et réponds au questionnaire. Tu as six mois pour envoyer ta réalisation.

Le jury va se réunir au mois de septembre 2018. Les résultats seront publiés au mois d'octobre 2018.

Pour toute question, contacte la rédaction de notre magazine.

Bonne chance et à bientôt !

→ Répondez aux questions.

1. Ce document est :
❒ un article ❒ une publicité ❒ un concours

2. On peut créer quel type de reportage ?

....

3. Qu'est-ce qu'on peut gagner ?

....

4. Pour participer, il faut :
❒ téléphoner au magazine
❒ envoyer sa réalisation
❒ s'inscrire sur le site

5. Combien de temps vous avez pour envoyer votre réalisation ?
❒ 6 mois ❒ 3 mois ❒ 1 mois

EXERCICE 1

10 POINTS

Vous voulez vous inscrire à un club de journalisme pour adolescents en France.

→ Remplissez ce formulaire d'inscription.

NOM : ....

PRÉNOM : ....

DATE DE NAISSANCE : ....

NATIONALITÉ : ....

ADRESSE : ....

....

....

PAYS : ....

TÉLÉPHONE : ....

ADRESSE MAIL : ....

VOS LOISIRS PRÉFÉRÉS : ....

....

VOUS ÊTES LIBRE QUEL JOUR ? ....

....

EXERCICE 2

15 POINTS

Vous êtes en vacances en France pour un stage de sport. Vous écrivez à votre correspondant/e français/e. Vous expliquez où vous êtes, ce que vous faites et vous décrivez vos activités pendant votre temps libre. (40 à 50 mots.)

....

....

....

....

....

....

....

....

L'épreuve se déroule en trois parties : un entretien dirigé, un échange d'informations et un dialogue simulé (ou jeu de rôle). Elle dure de 5 à 7 minutes.

Vous disposez de 10 minutes de préparation pour les parties 2 et 3 (échange d'informations et dialogue simulé).

EXERCICE 1

ENTRETIEN DIRIGÉ

(1 à 2 minutes)

Vous répondez aux questions de l'examinateur sur vous, votre famille, vos goûts ou vos activités.

Exemples : Comment est-ce que vous vous appelez ? Quelle est votre nationalité ?...

→ Exercice sans préparation.

Exemples de questions :

- Vous vous appelez comment ?
- Comment s'écrit votre nom ?
- Parlez-moi de votre famille. Vous avez des frères et sœurs ? Quel âge ont-ils ?
- Quelle est votre nationalité ?
- Quelle est votre date de naissance ?
- Comment allez-vous au collège ? Quel moyen de transport utilisez-vous ?
- Qu'est-ce que vous aimez faire quand vous êtes libre ?
- Vous pratiquez un sport ?
- Qui est votre chanteur ou votre groupe musical préféré ?
- Avez-vous un animal de compagnie ? Comment s'appelle-t-il ?

EXERCICE 2

ÉCHANGE D'INFORMATIONS

(2 minutes environ)

Vous posez des questions à l'examinateur à l'aide des mots écrits sur les étiquettes.
Vous ne devez pas réutiliser uniquement le mot mais surtout l'idée.

Exemple : Date de naissance : « Vous avez quel âge ? »

Surnom ?	Transport ?
Nature ?	Ville ?
Ami ?	Mer ?
Sports ?	Profession ?
Cuisine ?	Cinéma ?

EXERCICE 3

DIALOGUE SIMULÉ (ou jeu de rôle) 1 sujet au choix (2 minutes environ)

Vous jouez la situation décrite dans le sujet.

Vous vous informez sur le prix des produits que vous voulez acheter ou commander.

Vous demandez les quantités souhaitées. Pour payer, vous disposez de photos de pièces de monnaie, de billets, d'un chèque et d'une carte bleue.

···> SUJET 1. ORGANISER UN VOYAGE

Vous voulez partir en vacances avec votre ami/e francophone. Vous allez dans une agence de voyages et vous vous informez sur les destinations, la période et le type d'hébergement disponibles.
Vous choisissez une destination et un type d'hébergement et vous achetez un séjour.
L'examinateur(trice) joue le rôle de l'employé/e de l'agence.

···> SUJET 2. VISITER BORDEAUX

Vous voulez visiter Bordeaux avec votre famille. Vous allez à l'office de tourisme et vous demandez des renseignements sur les transports et les activités à faire pendant le week-end. Vous choisissez une activité et vous payez. L'examinateur(trice) joue le rôle de l'employé/e de l'office de tourisme.

UNITÉ 1 : SALUT !

Piste 1 – Leçon 1 – Activité 1B

Louise : Bonjour, moi c'est Eva. J'ai 14 ans.
Ethan : Salut les amis ! Je m'appelle Ethan et j'ai 15 ans.
Adèle : Salut, moi c'est Adèle, j'ai 16 ans.

Piste 2 – Leçon 1 – Activité 2B

Je m'appelle
Tu t'appelles
Il/Elle s'appelle
Nous nous appelons
Vous vous appelez
Ils/Elles s'appellent

Piste 3 – Leçon 2 – Activité 1A

1. La mode : M-O-D-E
2. Une baguette : B-A-G-U-E-deux T-E
3. Le kiosque: K-I-O-S-Q-U-E
4. Un restaurant : R-E-S-T-A-U-R-A-N-T
5. Le musée : M-U-S-É-E

Piste 4 – Leçon 2 – Activité 2A

Mur – Tour – Lune – Voiture – Pour – Écoute – Douze

Piste 5 – Leçon 3 – Activité 2B

comment - bon - beau - France - photo - prénom

UNITÉ 2 : J'ADORE

Piste 6 – Leçon 1 – Activité 1C

- Bonjour, je suis reporter et je fais une enquête sur les adolescents. Je peux te poser quelques questions ?
- ○ Oui.
- Tu habites dans quelle ville ?
- ○ J'habite à Nantes.
- Et tu as quel âge ?
- ○ J'ai 12 ans.
- Quel métier tu veux faire ?
- ○ Médecin !! ou.... actrice

- Bonjour les garçons ! et vous, vous habitez dans quelle ville ?
- ○ Nous habitons à Nantes aussi.
- Et vous avez quel âge ?
- ○ Nous avons tous les deux 12 ans.
- Quel métier vous voulez faire ?
- ▶ Footballeur comme Zidane !!
- ■ Heu... je ne sais pas... photographe....

- Salut et toi, où est-ce que tu habites ?
- ○ Moi j'habite à Redon.
- À Redon ? Comment ça s'écrit ?
- ○ R-E-D-O-N
- Et tu as quel âge ?
- ○ Moi j'ai 12 ans.
- Quel métier tu veux faire ?
- ○ Cuisinière !
- C'est noté, merci à tous !

Piste 7 – Leçon 2 – Activité 1C

- Tu as le numéro d'Alex ?
- ○ Quel Alex ?
- Alex Le Gal ?
- ○ Oui c'est le 07 29 18 27 16
- Et comment tu écris Le Gal ?
- ○ En deux mots : L-E et G-A-L
- Et le téléphone de Gauthier ?
- ○ Oui, c'est le 07 47 15 26 22
- Tu connais son nom de famille ?
- ○ Oui, c'est Barbero : B-A-R-B-E-R-O
- Et Louna ?
- ○ Le numéro de Louna c'est le 06 18 25 29 13

UNITÉ 3 : J'HABITE EN SUISSE

Piste 8 – Leçon 2 – Activité 1C

1. Française	**4.** Américaine	**7.** Japonaise
2. Chinoise	**5.** Italien	**8.** marocain
3. Péruvien	**6.** Anglais	**9.** Allemande

Piste 9 – Leçon 3 – Activité 3B

Salut, moi c'est Sophie. Je n'aime pas du tout les séries mais j'adore aller au cinéma. Je veux être actrice, j'aime beaucoup Marion Cotillard. Tous les lundis et mercredi, je fais du théâtre au collège.

J'adore le sport surtout le football. J'aimerais jouer au foot comme Antoine Griezmann ! Le week-end, j'aime sortir avec mes amis. J'aime aussi écouter de la musique mais je déteste cuisiner.

J'adore la musique. Je fais de la guitare. Avec mes copains, on joue de la musique le week-end. Le groupe s'appelle « Great ». Je n'aime pas faire de sport mais j'adore lire et regarder des séries !

UNITÉ 4 : MA FAMILLE

Piste 10 – Leçon 1 – Activité 2C

- ○ Allo, vous me recevez ? Ici agent 64, nous recherchons un suspect. Homme très grand et mince. Ses cheveux sont frisés et blonds. Il porte une casquette. Il a de grands yeux verts et un long nez. Sa bouche est petite.
- Bien reçu, agent 64.

UNITÉ 5 : LE COLLÈGE

Piste 11 – Leçon 1 – Activité 2A

Salut Ninon ! c'est Thomas. La forme ? Moi, je suis très content de mon emploi du temps. Le lundi matin est calme. Je commence avec la musique. À neuf heures et quart j'ai français. Le mercredi matin, j'ai français aussi. Le lundi après-midi à deux heures moins le quart j'ai EPS. Le vendredi après-midi j'ai histoire-géo, ma matière préférée pour finir la semaine. Ah, et le jeudi après déjeuner, j'ai art-plastiques. Et toi, quels sont tes horaires ? Tu es contente avec tes profs ? Rappelle-moi pour me raconter ! Bisous.

Piste 12 – Leçon 2 – Activité 1B

- Bonjour, je fais une interview sur le collège. J'aimerais connaître ton opinion. Que penses-tu de l'espace, des lieux ?

- Bonjour, et bien je le trouve pas mal. Il y a un grand gymnase et même une piscine. J'adore le sport. Il y a une grand bibliothèque mais il n'y a pas d'ordinateurs. Ce n'est pas pratique pour faire des recherches pour les cours.
- Et que penses-tu des professeurs ? Ils sont sympas !!
- Oui, tous nos professeurs sont sympas. Mon professeur préféré, c'est le prof d'anglais, il est drôle !

UNITÉ 6 : MA SEMAINE

Piste 13 – Leçon 1 – Activité 1A et 1B

Le matin je me lève toujours à 7h30. Je prends un gros petit-déjeuner pour être en forme. Ensuite je me lave les dents et je m'habille. Après je fais mon lit et prépare mon sac. Enfin je vais à l'école en bus. Je n'aime pas être en retard.

Piste 14 – Leçon 2 – Activité 1A

Tous les jours, mon frère se réveille à 7 h 00. À midi il déjeune au collège avec ses amis et à 17 h de l'après-midi, il rentre de l'école. Il goûte avant de faire ses devoirs, vers 18 h. Le mercredi, il a entraînement de rugby. Et le soir nous dînons à 20 h en famille.

Piste 15 – Leçon 2 – Activité 1B

1. Il est midi et demi.
2. Il est cinq heures moins le quart.
3. Il est sept heures moins dix.
4. Il est onze heures moins vingt.
5. Il est six heures et quart.

Piste 16 – Leçon 3 – Activité 2A

- Salut Zoé, tu es disponible demain soir pour aller au ciné ?
- Ça dépend, tu veux voir quel film ?
- Un film de science-fiction, avec des super-héros.
- Ah non, je suis désolée mais je déteste ça. Demande plutôt à Antoni. Il adore. Par contre, dimanche si tu veux, on va faire un pique-nique au parc et après il y a un concert gratuit à la maison des jeunes. Ça te dirait ?
- Ça marche pour le pique-nique mais pour le concert impossible, je dois aider ma mère à cuisiner pour l'anniversaire de mon frère.

UNITÉ 7 : MON QUARTIER

Piste 17 – Leçon 1 – Activité 1A

A. Ma famille habite à La Guillotière ! C'est un quartier très animé et multiculturel. À côté de chez moi, c'est le quartier chinois de Lyon. Il y a des restaurants et des supermarchés chinois : j'adore la cuisine asiatique. Et, au bord du Rhône, il y a un parc avec un skate parc où je vais le week-end faire du vélo et du skateboard avec mes amis.

B. J'habite dans une rue très commerçante de Lyon : c'est la rue de la République dans le quartier des Cordeliers. Il y a beaucoup de magasins, des cafés, une boulangerie, un supermarché et un hôtel. J'adore cette rue, elle est très animée et c'est pratique pour faire du shopping !

C. Il y a beaucoup de choses intéressantes dans mon quartier La Part-Dieu ! C'est un quartier moderne. Il y a une grande gare : la gare de Lyon-Part-Dieu. Il y a aussi un centre commercial génial, avec des magasins et des supermarchés... Et surtout il y a des tours parce que c'est le quartier des affaires. Ma tour préférée, c'est la tour Part-Dieu : elle est drôle, elle a la forme d'un crayon.

Piste 18 – Leçon 2 – Activité 2B

1. Longez le quai Courmont.
2. Tourne à droite après le théâtre.
3. Marche jusqu'à la place Bellecour.
4. Prends à gauche la rue de la Charité.
5. Continuez tout droit.
6. Traverse la rue Sala.

Piste 19 – Leçon 3 – Activité 1C

1.
- Regarde les peluches et la lampe ! Elles sont super cool et ce n'est vraiment pas cher.
- Et ce sac à main ! Oh, il est joli, aussi !

2.
- Essaie les rouges, mon chéri. J'aime beaucoup la couleur !
- Mais non maman, je ne veux pas de lunettes rouges !!! Je préfère les noires, c'est plus mon style...

3.
- Alors, qu'est-ce que tu penses de ce T-shirt ? Il est sympa, non ?
- Bah... le jaune citron, je n'aime pas du tout, désolée... Moi, je préfère le pull bleu.

Piste 20 – Leçon 3 – Activité 2A

1. J'aime bien la mode, mais je ne vais pas souvent dans les grands magasins. Je préfère acheter sur Internet ou dans une braderie ! Ce n'est pas cher. Je ne veux pas dépenser beaucoup d'argent pour des vêtements. En général, je vais dans les magasins pour les soldes. Il y a des marques à petits prix !

2. Il faut faire attention à notre impact écologique. Pour les vêtements aussi, j'achète éthique et responsable. C'est-à-dire : 1) j'achète peu de vêtements, 2) je ne vais pas dans les grands magasins et 3) je préfère les matières naturelles. Le prix est cher, mais c'est important de respecter la planète et les êtres humains !

3. Je vais faire les magasins une fois par semaine, seule ou avec mon copain ! Nous adorons regarder les nouvelles tendances, essayer des vêtements. Je dépense beaucoup dans les vêtements. Être à la mode et porter de beaux vêtements, c'est très important.

4. Le shopping, ce n'est pas pour moi ! Je déteste les centres commerciaux. Quelle horreur ! Avec les enfants, nous allons faire les magasins à la rentrée. Nous achetons le strict nécessaire : un pull et un pantalon maximum par personne. On n'a pas besoin de nouvelles choses tout le temps !

UNITÉ 8 : JE ME SENS BIEN

Piste 21 – Leçon 1 – Activité 1B

C'est un monstre gentil. Il a une grosse tête, ronde comme un œuf ! Il a une grande bouche, il fait un grand sourire parce qu'il est content. Il a un petit nez. Il a deux yeux sur la tête, en haut, ils sont comme les antennes d'un escargot. Il n'a pas de ventre. Il a deux bras et deux mains. Mais il a uniquement trois doigts. Enfin, il a deux petites jambes. Et il a deux pieds très grands avec quatre doigts de pied.

Piste 22 – Leçon 2 – Activité 1B

1. J'écris tout dans mon agenda.
2. Je répète à voix haute à la maison.
3. J'étudie avec mes amis.
4. Je prépare mon sac le soir.
5. Je relis mes cours le soir.

Piste 23 – Leçon 2 – Activité 2B

1. On commence avec la posture du guerrier ! Avancez le pied droit et pliez le genou droit. La jambe gauche reste tendue derrière. Ouvrez les bras puis étirez les bras à hauteur des épaules. Les bras sont parallèles au sol. Respirez.
2. Maintenant, la posture de la chandelle ! Couchez-vous sur le dos. Vos mains sont le long de votre corps. Montez les jambes à la verticale. Décollez les fesses du sol. Posez vos mains sur le bas du dos pour maintenir la position. Respirez avec le ventre. Enfin, redescendez lentement.
3. La position du lotus est idéale pour la méditation. C'est une posture assise. Assis sur les fesses, croisez les jambes. Le pied droit est placé sous le genou gauche et vice versa. Attention : le dos doit être bien droit. Respirez avec le nez en profondeur.
4. La posture du cobra. Couchez-vous sur le ventre. Joignez les jambes tendues. Vos pieds se touchent. Placez les mains de chaque côté du corps au niveau des épaules. Et poussez sur les bras pour remonter le buste. Regardez droit devant vous.
5. Pour ce dernier exercice, nous faisons la posture du chien tête en bas. Positionnez-vous à quatre pattes comme un chien. Et lentement, poussez les fesses vers le haut. Tendez les bras et les jambes. Votre tête reste en bas. Et, avec vos mains, faites des petits pas vers l'avant pour étirer le dos.

Piste 24 – Leçon 3 – Activité 2A

- Bonjour Sophie. Aujourd'hui vous allez nous parler du bonheur des adolescents. Mais peut-on être heureux à l'adolescence ?
- ○ Oui, bien sûr.
- Selon l'étude PISA publiée en décembre 2016, les jeunes Français affichent un niveau de satisfaction de vie de 7,6 sur une échelle allant de 0 à 10. On n'est pas si mal !
- ○ Effectivement, on n'est pas si mal.
- Mais vous pensez qu'on peut toujours s'améliorer, n'est-ce pas ?
- ○ Oui, tout à fait. Parce que, par exemple, selon la même étude, le temps consacré par les ados à Internet ne fait qu'augmenter. En moyenne, ils y passent plus de deux heures après l'école et plus de trois heures par jour le week-end. Franchement, ce n'est pas du tout rassurant parce que souvent ils se connectent avant de dormir et le sommeil est très important pour être en forme, donc heureux. S'ils manquent de sommeil alors les émotions négatives sont plus fréquentes : la peur ou la colère, par exemple.
- Vous proposez quoi alors ?
- ○ On peut déterminer une heure le soir à partir de laquelle les écrans sont interdits, mais pas seulement pour les enfants, pour les adultes c'est valable aussi.
- Très intéressant. Et vous avez d'autres conseils à donner ?
- ○ Il faut aussi passer du temps avec les adolescents. Je conseille toujours de prendre les repas en famille et faire des activités ensemble. Et un autre aspect à ne pas négliger est de leur apprendre à entretenir des amitiés. Quand on demande aux ados ce qui leur rend heureux, très souvent ils évoquent leurs amitiés.

DELF

Piste 25 – Compréhension de l'oral. Exercice 1

- Bonjour Madame, je voudrais des informations pour m'inscrire dans votre médiathèque.
- ○ Oui, alors, il faut en premier compléter le formulaire. Après vous devez donner deux photos d'identité et enfin votre carte d'étudiant.
- D'accord merci. Ça coûte combien ?
- ○ L'inscription est gratuite pour les étudiants.

Piste 26 – Compréhension de l'oral. Exercice 2

Salut, c'est Sophie ! Je t'appelle pour t'inviter au parc d'attractions samedi prochain. Est-ce que tu es libre ? Le parc ouvre à 14 h 00. Appelle-moi avant jeudi pour confirmer parce que je dois acheter les entrées. Bisous ! À plus !

Piste 27 – Compréhension de l'oral. Exercice 3

Chers voyageurs bonjour, AIR LIBRE vous informe : en raison de problèmes techniques, le vol n° 1315 pour Madrid est annulé. Nous vous prions de vous rendre à l'accueil dans le Hall 5 avec votre carte d'embarquement. Nous vous remercions pour votre attention.

Piste 28 – Compréhension de l'oral. Exercice 4

Situation 1

- Vous avez choisi ?
- ○ Oui, merci. Je vais prendre le menu du jour à 15 euros, s'il vous plait. Et une bouteille d'eau aussi.

Situation 2

Le train n° 525 pour Paris Gare du Nord est arrivé quai n° 8. Départ dans 5 minutes. 5 minutes !

Situation 3

- Salut, ça va Stéphanie ?
- ○ Non pas trop ... j'ai eu 10 au contrôle de mathématiques, mes parents ne vont pas être contents...
- Allez, ne t'inquiète pas, ce n'est pas grave !

Situation 4

Chers clients, aujourd'hui 14 février, pour la Saint Valentin, la boite de chocolats Prestige est en promotion à 8 euros seulement ! Profitez-en !

Situation 5

- Salut Estelle, ça va ? Qu'est-ce que tu fais pour les vacances cet été ?
- ○ Je vais au Portugal, et toi ?
- Moi, je vais à New York avec mes parents ! Nous allons rester deux semaines !
- ○ Waouh, c'est génial !